U0064683

仙靈傳奇
之古物奇探
祝由師
（下）
作者
陳郁如

6

宗元非常懊惱，沒想到失去了多寶格，卻連這個「李清照」和她師父是誰都不知道。

宗元回到小依的家，又沮喪又疲倦。

「發生什麼事？」儀萱關心的問。

「多寶格被搶走了……」宗元把事情經過告訴其他人。

「這個蒙面女子到底是誰？」儀萱皺著眉頭問。

「不知道，她雖然會祝由術，但又不是非常厲害。」宗元說。

「不是很厲害還不是把多寶格搶走了？」儀萱白了宗元一眼。宗元難得沒有頂回去，他也覺得懊惱。

「那個師父又是誰？看來祝由術有自己的門派。」紫珊說。

「那個師父後來才到，不然在雷家時他就該出手救人，輪不到我出手。」宗元說。

「可能師父感到徒弟有危險才跟著出現。」曄廷說。

「蒙面女子說鄭馨已經死了，這是真的嗎？」亞靖問。

「我也不知道。」宗元低聲說。

「這……這怎麼跟小依說啊？她會哭死。」儀萱說。

「還沒確定的事先不要亂說。」曄廷說。

「我們明天一定要去一趟祝由科，看看能不能問出什麼。」紫珊說，「快天亮了，大家先去休息吧。」

＊＊＊

經過昨天一夜折騰，大家睡得比較晚，紫珊跟儀萱起床時，小依早就去忙了。她們來到柴房，跟男生們討論今天的計畫，這時小依匆匆忙忙跑了進來。

「我剛剛上街去買米，聽到一個消息。」小依說，「據說昨兒夜裡，雷進山死了。」

「真的！你知道他是怎麼死的嗎？」儀萱問。

「說是急病死的。」小依壓低聲音，「不過米店的伙計告訴我，說是因為他吸大煙。」

五人回想第一次也是最後一次見到雷進山的樣子，雙眼凹陷，瘦骨如柴，神智模糊，的確離死期不遠。

「這樣也好，不會再逼年輕少女當他的小妾了。」宗元說。

「是啊，有夠噁心的。」儀萱說。

「會不會雷家知道雷進山快死了，所以假裝鄭馨失蹤，其實是把她軟禁起來，準備讓她陪葬？」紫珊提出假設。

「這太可怕了！請你們一定要救鄭馨小姐啊！」小依聽了儀萱的話，嚇得眼淚又快要掉下來了。

「你先不要太著急，我們會盡力的。」紫珊拍拍她的肩膀。

這時，小依的爹走了進來，「外面有個雷家的僕人說要見你們。」五人面面相覷，不知道雷家為什麼要找他們？難道發現多寶格不見了，希望他們幫忙尋找？

五人來到店外，一個瘦弱的少年等著他們。

「我們家少爺請各位過去一趟。」少年恭敬的說。

「請問有什麼事嗎？」曄廷客氣的問。

「叔爺昨晚過世了，有重要的事想跟各位商量。」少年說。

「商量什麼事？」曄廷又問。

「少爺的事，我們做奴才的怎麼敢多問，再勞駕各位了。」少年抓抓頭說。

「你先回去，說我們中午過後就過去。」曄廷說。

「是。」少年很開心完成任務，轉身離開。

「雷東明找我們做什麼？」宗元問。

「誰知道，去看看再說。」曄廷說。

「我們先去雷家，還是先去祝由科？」亞靖問。

「我想，不如我們分開行動，這樣比較有效率？」紫珊提議，其他人也不反對，在商量之後決定宗元、亞靖、曄廷去祝由科，紫珊跟儀萱兩人去雷家。

＊＊＊

用了中餐，儀萱跟紫珊來到雷東明家，雷東明看到只有兩個女孩似乎有點意外。

「就你們兩個女孩家？其他人呢？」雷東明朝她們的身後探看。

「雷家發生的事是大事，當然就是由我們出面，其他三人去處理比較不重要的事了。」儀萱臉上帶著燦爛的微笑說。

雷東明被搶了白，也不好說自己家的事比較不重要，只好說：「是、是，跟我來。」

「你找我們來做什麼？」紫珊問。

「我叔叔昨晚過身了。我要你們幫忙看一下他的遺體，我懷疑他是被殺害的，你們兩個女娃兒行嗎？」雷東明用懷疑的眼神看著她們。

「那我們更是來對了，那三個男生看到死人會嚇跑的。」儀萱沒見過屍體，心裡覺得有點毛毛的，但是實在受不了雷東明這種貶低女性的態度，再怎樣也不能在言語上輸人。

「行。」雷東明沒再多說，領著他們再度去了雷進山的宅子。

此時雷家內外十分忙碌，她們注意到有幾個人忙著把一些棉紙做成的燈，一個個從屋內排出來，一路延伸到大門。

「這些叫隨身燈，用意是讓逝者找到回家的路。」雷東明說，同時指揮僕役哪裡放燈，哪裡掛白布。

兩人跟著雷東明來到一個大房間，果然看到隨身燈一路從床前排到屋外。

雷東明讓其他人離開房間，紫珊跟儀萱注意到，這些人都是僕役丫鬟，雷進山生前有四名妻妾，卻沒有人在他死後守在身邊，看來他生前沉迷毒品，並沒有善待家人。

「你們過來看。」雷東明對她們招招手。紫珊和儀萱走上前。

雷進山的眼瞼沒有完全閉上，嘴巴微張，兩頰凹陷，膚色灰白暗沉，如今已經沒有氣息了。

「他們說，叔叔是吸大煙死的，可是，」雷東明伸手微微轉動雷進山的頭，指著他的腦下被頭髮遮住的地方，「這是我在幫他梳理頭髮時看到的。」

她們也看到了。在天柱穴附近，有一張黃色的方形小紙片緊貼著皮膚，並不容易察覺。

「這是祝由術，」雷東明悲憤的說，「昨天有人潛入這裡殺了我叔叔！我叔叔是被害死的！」

紫珊伸手過去，手指一碰上黃紙，便可以感受到上面有一股強大的力量，那是祝由術沒錯，而且跟在多寶格上的力量很像。

「你叔叔平常曾跟人結怨嗎？你知不知道他有沒有仇家？」儀萱問。

「我沒聽說，」雷東明搖搖頭，「他就是喜歡抽抽鴉片而已。」

「抽鴉片還『而已』？」儀萱翻個白眼。

「你找我們來，是希望我們幫你找凶手？」紫珊皺著眉頭說。

「我聽說上次那個曾姬壺也是跟祝由師有關，既然你們可以把壺找回來，一定也可以找到殺我叔叔的凶手。」雷東明說，口氣充滿悲傷。

「那……那個鄭馨你打算怎麼辦？」儀萱問。

「她人都不見了，我能怎麼辦？」雷東明一臉無奈，「現在我叔叔也過身了，這門親事當然就吹了。」

紫珊和儀萱兩人點點頭。

「但是你們一定要幫我找到殺叔仇人！」雷東明咬牙切齒的說。

「人死不能復生，他最後的日子也被鴉片折磨得很慘，現在去了也是解脫，你要節哀。」紫珊安慰他。

聽了紫珊的話，雷東明當場流下眼淚，「小時候，我爹對我要求十分嚴格，動不動就是一頓打罵，只有叔叔會護著我，帶我去逛街、買吃食。他本來也是胸懷大志的人，在生意場上呼風喚雨，買了好多宅子。但是……這幾年朋友帶著他抽鴉片，過去累積的家產也漸漸敗掉。本來想說他膝下無子，如果給他找個小妾，有了孩子，或許他會有所覺悟，戒掉鴉片好好做人，沒想到……唉，新娘子不見了，他也被殺了。」

她們雖然不喜歡雷東明，但是此時他說的話情真意切，也明白毒品有多麼可怕，真的是害己害人。紫珊拍拍他的肩膀說：「節哀順變。記得把家裡所有的鴉片丟掉或燒掉。」

雷東明抹抹眼淚，嘆口氣，點點頭。

「我們四處看一下。」紫珊說。雷東明手擺了一下表示請她們自便。

兩人在房間四周走動，仔細查看。儀萱來到窗邊，她伸手開窗，當她的手碰到窗框時，感覺到這裡有祝由術的力量，看來那個殺手就是從窗戶進來的。

這時一件東西引起儀萱的注意，她拿了起來，收在懷裡。

「紫珊，你那邊都看過了嗎？」儀萱問。

「看過了，不過沒找到什麼特別的。」紫珊說。

儀萱和紫珊將整個房間看過一輪，確認沒有遺漏的地方，便向雷東明告辭。

「我們有什麼消息再跟你說。你若有新發現也要記得通知我們。」儀萱對著雷東明說。

「行。」雷東明說。

「那我們先走了。」紫珊說。兩人離開了雷家。

7

另一邊，宗元、亞靖、曄廷三人一起來到祝由科，今天大門依舊緊閉，他們上前叩門。

「你們三個進來吧。」同樣幽微的聲音傳到三人的耳裡，大門緩緩打開。曄廷第一次聽到這個祝由師的聲音，他警戒的看著四周，不過門後一個人也沒有。

三人穿過院子進入前廳，屋裡空蕩蕩的，不過他們抬頭看，梁上貼滿不同尺寸的黃色符紙，有的像用來摺紙鶴的方形紙，有的則像是彩帶的長方形，更多是比較小的那些，像是便條紙。

三人一踏進屋內，身後的門馬上關了起來，他們提高警覺，但是也不特別擔心，這門沒辦法限制他們的法力。

但接著他們感到手指有些微緊繃，本來不以為意，然後發現那股緊繃的感覺蔓延到手肘，等到胸口感到痠痛後，他們才驚覺是這些黃色符紙在作怪，三人很快運法，抵抗符紙的力量。

「不錯嘛，一般人在這些咒語下，會全身痠痛滿地哭饒，你們居然挺得住。」余襄的聲音傳來，但是他們還是沒見著她。

「我們有事相詢，可否現身一見？」宗元用武俠小說裡學到的用語詢問。

「你昨晚遇到的，是這三人中的哪一個？」余襄的問題似乎不是對他們說的。

「天色已暗，我看不真切，但是聽聲音，就是剛剛叫你出來的那個。」另一個聲音響起，宗元認出那就是昨晚蒙面女子的聲音，看來她們倆是一夥的。

「那我們留他下來給你當夫婿如何？」余襄說完嘿嘿笑了兩聲，語氣陰森詭異。

三人皺起眉頭，覺得這段對話非常無禮，而且有點恐怖。

「請問姑娘如何稱呼？為什麼不肯以真面目示人？」宗元一邊隨意說著，一邊看著那些符紙，他仔細一個個搜尋，果然，讓他找到兩張，一張約手機大小，一張約便條紙大小，兩張紙上各有一隻眼睛，就像他第一次來到這裡時，余襄施的咒術。

「你們三人來這做什麼？」余襄冷冷的問。

「你們這樣縮頭縮腦，我很難講清楚耶，如果你們願意出來，我再當面告訴你。不然我不知道該是面對窗戶說話、面對門說話，還是看地上說話才好。」宗元一邊閒扯，一邊轉頭看向亞靖。亞靖對他暗暗挑一下眉毛，讓宗元知道他也看到了。

經過這幾天的相處，兩人越來越有默契，宗元和亞靖同時手一揚，分別對著兩隻眼睛的黃色符紙施法。

亞靖的手中鏡一閃，射向比較大張的符紙，鏡子的光芒本來就耀眼，加上亞靖的法力，更是光亮刺眼，只見那張符紙瞬間燒起來，化成灰燼。

另一邊宗元默唸黃庭堅的詩句：「不與一甌茶，眼前黑如漆。」隨著他的手一揚，一道黑煙射向比較小張的符紙，只聽到「哎呀」一聲，有眼睛的黃色符紙整個被黑煙罩住。

「不錯嘛。」這時前廳的門被推開，兩個女子走了進來。前面的是駝背的余襄，她的臉色陰沉；後面跟著一位大約十七、八歲的少女，倒三角型的臉上帶著怒氣，因為她的雙眼現在黑了一圈，像是熊貓一樣。

「你昨天晚上全身黑只露出眼睛，今天剛好相反，只有眼睛全黑。在我住的地方，這可是一種流行的化妝技法，叫煙燻妝喔。」宗元大笑，但是其實他面對兩人全神貫注。

果然，女子被他惹得更加浮躁，手一揚，幾張符紙飛出，卻被在一旁的余襄伸手攔住。

「不用急。我在梁上施的這些符咒已經足夠讓他們三人筋骨痠痛，全身無力了。」余襄冷笑一聲。

宗元、亞靖、曄廷三人大驚，同時運氣到身上的關節筋骨，果然一股痠麻無力的感覺襲來。

「快把符咒的力量去掉！」曄廷冷冷的說。

「我最討厭別人命令我了。」余襄臉上一凜，冷冷的說。

「那我們來交換。我可以去掉這個姑娘眼上的黑氣，前提是讓我們平安離開。」宗元說。

「離開？」余襄發出一個聲音，應該是笑聲，但是聽起來一點都不好笑，「你們來，不就是想問我鄭馨在哪嗎？」

三人沒有說話，這的確是他們的目的。

「請問鄭馨姑娘人在哪？」亞靖客氣的問。

余襄看了黑眼女子一眼，意思是由她來解釋。

「鄭馨已經不在這世界上了，」女子頓了頓，神情嚴肅的說，「我拜余襄師父為師，現在叫余真。」

三人愣了半秒，然後才意識到原來這名女子就是鄭馨。

「好了，現在你們知道答案了。我們一換一，你去掉余真臉上的黑氣，我可以讓一個人離開，你們三個決定一下誰可以走。」余襄說。

三人對望一眼，接著宗元爆出大笑，「我們三個當然一起走，曄廷，帶我們去別的畫！」

曄廷握著兩人的手，想著〈搗練圖〉運氣施法，可是不僅什麼也沒發生，他還感到一陣強烈暈眩，整個人快倒下去，另外兩人感到他手上傳來的氣息不穩，趕忙傳送給他一些力量，卻發現自己也使不上力，胸口空蕩蕩的，三人感到一陣驚恐。

一定是梁上那些符紙搞的鬼！

「曄廷你走，你可以帶人進出畫境，如果你留下來，我們所有人都會困在畫裡！」宗元說。

「你講那什麼話？就算你自己想犧牲，你有問過亞靖的意思嗎？」曄廷不滿的說。

「我和他對付過余襄，可以保護自己，你快走。」宗元催促著。

「你快走，帶兩個女生離開。」亞靖也說。

「我的力量受到咒術的牽制，我也沒辦法離開。」曄廷無奈的說。他覺得光是穩住自己的身體都有困難。

「如果你們決定好讓這位小哥離開，我自會撤去他身上的祝由術。」余襄用輕鬆的語氣說。

「我不走。」曄廷堅持，「我們一起對付她們。」

「你不要傻了。」宗元想用法力推曄廷出去，但是全身痠麻無力，最後只在他身上輕輕摸一下。

就在這時候，一聲清脆的鳥鳴聲傳來，亞靖三人抬頭看，一隻全身披著火紅色羽毛的大鳥飛了進來，在房內的梁上盤旋。

「紫珊的朱雀！」三人同時認出。

朱雀張開鳥喙，一道火焰噴出，屋梁上的符紙瞬間燃燒。

余襄又驚又氣，口中唸唸有詞，手中射出更多的黃色符紙，朝著朱雀飛去。

同時間，房中的灰塵迅速聚集，形成一個黑色大土球，並且急速旋轉，射出許許多多的小土塊，小土塊黏上黃紙後，紙條一一墜落。

余襄兩眼發紅，嘴裡大聲的唸著：「古尬，以啊呼，噫噫啊喇……」但是屋梁上的符紙還是都被朱雀的火燒成灰燼，她後來再射出的符紙也一一被土塊制伏。

紫珊跟儀萱此時出現在房間，兩人聯手箝制住余襄的力量。

她們迅速來到三人身邊，紫珊抓著亞靖的手，儀萱一手拉著曄廷一手拉著宗元，同時施法運氣。

「我們走。」紫珊低喝，五人朝大門走去。

「等等。」鄭馨喊著，「把我眼睛旁的黑氣弄掉啊！」

儀萱站住腳，回頭瞪著她，「本來我還有點同情你，被你爹安排嫁給毒蟲，你逃脫這場婚姻也是好事，但是為什麼要殺人？」

「殺人？」鄭馨表情一愣，「我沒殺人啊？誰死了？」

儀萱嘆了一口氣，從懷裡拿出一樣東西，放在手上。

是一個小瓷瓶。

「我們剛剛回去成衣店，小依說，這瓷瓶確實是你的，她曾在你的多寶格裡看過。」儀萱說。

「是我的沒錯。我正找不著這東西，怎麼會在你手上？」鄭馨皺著眉頭問。

「我們去了一趟雷府，雷進山昨晚死了，是被人用咒術殺死的。」儀萱說，「我在雷進山房間的窗檻上找到這個瓷瓶。」

「雷進山死了？」鄭馨恍然大悟，「你在他家找到瓷瓶，所以就說是我殺的？沒這回事。我已經逃婚了，幹麼還要殺人？而且我跟著師父學咒術不過幾個月，根本還沒有這種能耐，最多用幾張符紙讓人昏迷而已。」

鄭馨像是想到什麼，看向余襄問道：「師父，是你下的手？」

「是我沒錯。」余襄說，臉上完全沒有慚愧遺憾的表情。

「為什麼？」鄭馨一臉迷惑。

「而且她還把瓷瓶留在現場，想要嫁禍給你。」儀萱說，「難怪我想說，這人咒術厲害到可以殺人，怎麼這麼不小心留下線索，原來是故意的。」

儀萱的話起了作用，鄭馨非常生氣，「你為什麼要這麼做？」

「我跟你說……」余襄想要解釋，但鄭馨沒打算聽下去，對她射出兩張符紙。

儀萱對其他人使個眼色。

「你們慢慢說啊，我們先走了。」儀萱說完，把手上的小瓷瓶拋向鄭馨。鄭馨一把接住，卻差點閃不過余襄的攻擊。

儀萱跟紫珊同時施法，朱雀在屋裡飛翔，土砂四處噴濺，鄭馨回贈余襄好幾張符紙，趁著一片混亂，兩人拉著其他三人衝出宅子。

「你們怎麼知道要來找我們？」亞靖問。

「昨晚宗元去偷多寶格前，不是拿了小木條在大木塊上面用法力寫字嗎？今天我跟儀萱回來後沒多久，看到木塊上面的『柳』字顯現，代表宗元有了麻煩，所以就來祝由科找你們。」紫珊說，「我們在外面偷窺時，發現你們會著了道就是因為屋梁上那些符紙，所以跟儀萱商量好先毀了符紙。」

「還好你們來了，不然我們怎麼被宰都不知道。」宗元心有餘悸的說。

「不會啦，那個余襄不是要你娶鄭馨為妻嗎？她不會讓你死的。」曄廷笑了笑。

「你還好意思說！叫你快走你不走！裝什麼俠義精神？三個人一起死沒有比較高尚啦！」宗元瞪他一眼。

「那個余襄陰陽怪氣，行事沒有邏輯，你覺得她真的會讓我們其中一個人活著離開？別傻了。」曄廷也白了他一眼。

「她要留你們下來做什麼？」紫珊問。

「誰知道！這人瘋瘋癲癲的。」宗元翻個白眼。

「我們知道的太多了。」亞靖簡短的說。忽然，他一陣暈眩，腳步虛浮，全身冒汗，紫珊在一旁急忙抓住他。

「你怎麼了？」紫珊緊張的問。

「我全身……沒有力氣……」亞靖努力運氣，讓自己不至於癱軟下去。

「剛才我們跟符咒打鬥，鄭馨的力量比較弱，我占了上風，可是亞靖對付的是余襄，雖然把她逼了出來，但是她的力量強很多，結果反彈到亞靖身上了。早知道我就先出手對付那個大眼睛。」宗元懊惱的說。

「那你們兩個覺得如何？」紫珊問。

「我覺得頭暈，不過沒亞靖那麼慘。」曄廷說。

「我也是有點暈，不過可以自己走。」宗元說。

「你們倆沒事的話，那我也去幫亞靖，我們快回小依家休養。」儀萱說。五人相互攙扶，朝著成衣店而去。

8

「原來鄭小姐是被救走的。」小依聽完儀萱的描述說，「只是她怎麼不來跟我說一聲，讓我這麼擔心。」

「她可能想等過陣子雷家人不再找她，風頭過了再來找你。」紫珊安慰她。

「對啊，她可能不想牽連到你，你不要想太多。」儀萱說。

小依這時才點點頭，心情也平靜下來，「亞靖還好嗎？」

「我沒事。」亞靖平穩的說。

「我來幫他運氣。」紫珊說完讓亞靖盤膝坐下，坐到他身後。

「我也幫忙，我們倆可以輪流。」儀萱說。紫珊點點頭。

「那我和曄廷可以做什麼？」宗元問。

「你們就自己修習，雖然你們的情況沒有亞靖這麼嚴重，但是也是受到損傷，不要大意。」紫珊說。

「那我去幫你們準備一些茶水，還有食物。」小依看大家都有事要做，也主動幫忙。

這一晚，大家忙到很晚才各自休息。

第二天一早，紫珊跟儀萱一起去柴房探望，宗元跟曄廷恢復得不錯，不再頭暈，亞靖也好很多，不過顯得比較疲倦。

「你再多休息一會，我等下去虹橋的人參鋪買些人參給你補氣。」曄廷說。

「我沒事啦。」亞靖笑著說。

突然一陣腳步聲傳來，小依急匆匆的進來，臉上表情興奮又古怪。

「你們知道誰來了嗎？」小依不等大家回話，自己開心的說下去，「是鄭馨小姐，她來找我！太好了，她沒事。除了臉上……臉上……不過我好開心啊！」

「她在店裡？」紫珊問。每個人臉上神情警戒。

「是，她說她想見你們，還說，只有你們能幫她把臉上的怪東西弄掉。」小依說。

紫珊想了想，看看大家，最後說：「好，請她進來。」

鄭馨跟著小依來到柴房，她的眼睛周圍還是一圈黑氣，神情有些憔悴。

「你怎麼知道我們在這？你施了什麼咒術在我們身上嗎？」儀萱問。

「沒有。」鄭馨搖搖頭，「我記得你們說，是小依託你們找我，所以才來問她，小依告訴我你們在這。」

「你一個人來？」宗元問。

「是。」她簡短的回答。

「如果你想要我去掉你眼睛上的黑氣，至少要告訴我們，到底發生什麼事？」宗元開門見山的說。

「好，你們想知道什麼，我都說。」鄭馨誠懇的說。

「成親那天，你怎麼逃出來的？」宗元問。

鄭馨的臉色暗了下來，「我爹爹因為生意失敗，欠下好多債，走投無路下，他跟雷家說好條件，讓我嫁給雷進山做小妾，雷進山就會借錢給他，幫助他新的木材生意。

「可我不願意，我聽聞過雷進山的為人，說他抽大煙、脾氣壞，生意也不如以往。我告訴爹爹，他只是斥責我道聽塗說，根本不理會我，要我乖乖聽話，嫁作人婦。

「我心情低落，無人可訴，這時，一個遠房表姑帶著女兒來家裡拜訪，表姊告訴我，城裡的祝由科會幫人排憂解悶，她可以替我安排。我連忙說好。一天夜裡，我正準備就寢，一名女子忽然出現在我房間裡，我嚇得大叫，但她動作更快，一張符紙向我飛來，貼在我胸口上，我就出不了聲了。」鄭馨帶著崇拜的語氣說。

宗元三人可以猜到，這人一定就是余襄。

鄭馨繼續說下去：「她說她是一名祝由師，是來幫我解決問題的。如果我不亂吼叫，她可以卸去咒語，我們再好好談。我連忙點頭，等我又可以說話，我告訴她我不想嫁入雷家的事。她說，她能助我逃婚，現在就可以帶我離開。我說，可是我也不想讓爹爹為難，如果我不出嫁，爹爹悔婚，會讓他難以面對雷家。

「祝由師想了想後說：『好，我會讓你平安上花轎，但是到達雷家時，你不會進門。』這實在讓人難以理解。我問：『這怎麼可能，我要去哪？』她告訴我：『當然，這一切是有代價的，我不要錢，只要你願意拜我為師，跟我住在一起。』我想了想，一旦逃婚，家裡我是回不去的，那我還能去哪？這人咒術高強，若能跟她學上一些，也是我的機緣。所以我就點頭答應了。

「我在師父的幫助下，開始學習祝由術，學到不少咒術和使用符咒的方法。成親那天，在眾目睽睽下，我穿上嫁衣，踏進喜轎。我依照師父的指示，把多寶格帶在身上，在轎子裡，我拿出多寶格裡的瓷瓶，同時拿出兩張符紙，一張放入多寶格，一張貼在小瓷瓶上，然後施咒語。而師父也在遠方施咒，我們裡應外合，我感到身體一輕，四周一暗一明，我就已經不在轎中，來到一間屋子裡，就是祝由科，也是師父住的地方。」

「可是你的丫鬟說，你跟她一路上還有對話，轎夫們也有聽到，這是怎麼回事？」曄廷問。

鄭馨輕笑一聲，笑聲中帶著幾分得意。

「我是帶著小瓷瓶離開的，多寶格仍留在轎中。瓷瓶上的符紙跟多寶格裡的符紙相應，所以我雖不在轎中，但是轎子裡的多寶格讓我彷彿也在轎子裡般，聽到周圍的人聲，並且對答如流。如此一來，大家都以為我從頭到尾都在轎子裡。」

五人恍然大悟的點點頭。

「不過我的力量還不夠，轎子到了雷家符咒就失去作用，它就燒毀了，不然的話我一定也會把多寶格弄回身邊。」鄭馨的語氣有點遺憾。

「原來是這樣。」宗元點點頭，這解釋了所有的事情。

「現在我告訴你們所有的事了，」鄭馨看著宗元，「你可以幫我去掉眼上的黑氣了吧？」

其他人也看著宗元，讓他做決定。

「你日後有什麼打算？」宗元問，語氣帶著關心。

「我不想回家，更不願去雷家。昨晚我跟師父鬧翻了。她隨便殺人，而且還嫁禍給我！她說她會保護我，但其實是故意讓我被通緝，無處可走，她就可以用保護我的名義處處限制我。還好你們發現那個小瓷瓶，把它帶回來，不然我會永遠在她掌控之下。」鄭馨說。

「小姐可以來跟我住！」小依誠懇的說。

鄭馨搖搖頭，「不行，我不能連累你。我想我會離開城裡一陣子，我一直想去洛陽看看，過些時日我再回來看你。」

小依想到洛陽路途遙遠，從此天涯兩隔，眼眶又紅了。

「小依你去拿根蠟燭來。」宗元說，「我要幫鄭家小姐。」

「好。」小依抹抹眼淚，很快的拿來一根紅蠟燭。

「紫珊，可以借用你的火點蠟燭嗎？」宗元轉頭問紫珊。

紫珊笑了一下說：「好啦。大材小用。」接著手一揮，一道細細的光從玉墜射出，一碰上蠟燭就點著了火。

宗元請鄭馨坐下，把蠟燭放在她的面前說：「你把眼睛閉起來。」

鄭馨依言照做，宗元對她唸起周邦彥的詩：

「喚起兩眸清炯炯。淚花落枕紅棉冷。」

只見鄭馨流下眼淚，隨著眼淚流出，眼睛周圍的黑氣慢慢的退去。

之後，宗元又唸出李商隱的詩句：

「春蠶到死絲方盡，蠟炬成灰淚始乾。等蠟燭燒完了，你的眼淚就會止住，黑氣也會消失。」

鄭馨閉著眼睛點點頭。

她回想這兩天的事，像是夢一場。

她從家裡出嫁，卻沒有真正嫁入另一個人家。

她本以為余襄是個好師父，可以教她祝由術，給她另一個人生。

她的確學了一些使用符咒的方式，但是她也看到余襄的可怕。她剛才沒跟宗元他們說的是，昨天他們走後，余襄說出為什麼她要殺雷進山，要鄭馨知道她做這些事的原因，繼續幫她。

不了。那個讓人抹刨花水、整頭髮的鄭家小姐已經不在了，但她也不要當余襄的傀儡余真，她要重新開始新的生活。接下來，是她的日子。她不要再受任何限制了。

娘說尖下巴的女子嫁不出去，但是她一點也不在意。

汩汩的淚水下是微笑的嘴角。

古物的身世——
清 紫檀多寶格方匣

文／國立故宮博物院研究人員 侯怡利

什麼是多寶格？

「多寶格」是故宮最有趣的藏品之一，有趣之處在於多寶格以各種形態呈現，有把材質不同的小古玩裝滿於箱匣，或將各類古物收貯於占滿整牆的裝飾大格。多寶格除了材質豐富外，更重要的是對於空間的利用，兼具裝飾與賞玩的功能，巧妙運用收、納、藏的有趣變化，呈現豐富收藏所帶來的觀賞體驗。

在過去，「多寶格」是專指位於紫禁城乾清宮內收納各種古玩的通牆大格。「多寶」

的形容，符合收納包羅萬象古玩的理解。無論是以開架方式陳列古玩的「格」，或是在有限的箱盒空間內存放最多數量古玩的「百什件」，這些不同型態的古玩收藏，故宮皆以「多寶格」統稱。強調的是，工匠用心展現收納的機巧，將古物陳設與收納空間做最佳融合。

多寶格的源起與發展

將這些箱匣盒子變成饒富趣味收貯遊戲的人，就是乾隆皇帝，在他的主導下，從乾隆八年開始，這些百什件的屜匣因為蟲蛀，陸續從紙胎換作木胎，從內部的木胎與木料的選用、格子屜板與明裝暗裝的裝配、各種木座或牙座的搭配，還有各種書畫印章的配置，甚至外套箱的重做，都可從現存於故宮的五份百什件〈天球合璧〉、〈琅玕聚〉、〈天府球琳〉、〈集瓊藻〉、〈瑾瑜匣〉中找到對應。可見自乾隆八年以後，除了重裝原先的百什件外，仍不斷製造著重細節的百什件，而這些百什件在空間與趣味上總是讓人驚豔，無疑是乾隆朝製作這類器物的高峰及代表。

經過乾隆八年重裝，百什件能變換出的花樣大致確立，這點由故宮館藏的百什件可以印證。事實上，根據檔案記載，這五份百什件應該是現存年代較早的作品，其餘百什件的盛裝年代都晚於這五份。以乾隆八年重裝的〈瑾瑜匣〉為例，除了各種小格、暗屜外，在空間中還裝有一方、一圓的格子，甚至有做成假書形式，層疊放置於矮几的匣子，如〈名山藏〉匣，可以看到木頭、棕竹，以及錦布等各種材質的混搭。這種集空間變化大成的方式，是乾隆八年後確立。

乾隆八年的重裝，除了原先盛裝的漆盒外，胎體的更換，裝配的重新分配，也都屬於新的創舉，而百什件內部的所有物件也是從無到有。自乾隆八年開始，重裝數量共計九件，其中故宮典藏了五件。因此，確實能將故宮現存五份百什件作為年代的上限，並以此來看往後乾隆朝的製作，故有創立乾隆式樣之說。

這九份百什件充分展現各種可以變化的樣式，包括暗屜的出現、各種匣盒型態、乃至於座架的樣式，或是盒中有物等，可以說乾隆朝百什件的樣式，是確立自乾隆八年這九份百什件的重裝。換言之，現存五份在乾隆八年重裝的百什件，提供了後人清楚的年代及重裝後的樣貌，是乾隆八年到十年這段時間的百什件標準品，也是故宮典藏百什件的珍貴之處。

在此之後的檔案顯示，乾隆皇帝仍不斷收藏包括玉、瑪瑙、瓷器、琺瑯、銅器等各式古玩，用來裝配百什件。要裝配百什件，需從外箱選擇開始，如在乾隆十九年（1754）十月二十五日〈匣作〉有交出「黑洋漆描金罩蓋箱一件、金漆罩蓋匣一件、紫檀木壤嵌箱一件」，這些箱子都需要配裝百什件，甚至為此將紫檀木壤嵌箱改成雕漆箱。其中更提到「造辦處查所有收貯可裝百什件的箱呈覽」，於是得到「前庫收貯，洋漆箱一對」、「活計庫收貯洋漆箱

清　紫檀多寶格方匣

三件」，最後要求「好些的洋漆箱一對，配裝百什件」。由這些檔案可知，乾隆朝以內務府所收各種箱匣裝配百什件，同樣看得出是乾隆朝樣式的一種複製。

如同現存在兩岸故宮的百什件，可以看到有蒔繪漆匣、雕漆匣、填漆匣、紫檀木匣，甚至以竹黃製成的各種外盒。這些箱匣的選用原則，或許在雍正時期，甚至更早之前就已經確立。而透過乾隆八年的重裝，可以看到原有外箱的選擇，正如同前述，是以各種漆匣，又或者是紫檀木匣為主，但也有許多是乾隆皇帝的延續和發揚光大，使得百什件的製作持續不斷。

紫檀多寶格方匣

回到故事裡提及的〈紫檀多寶格方匣〉，若根據外箱與箱盒內組裝的文物之記載與實物來看，應為乾隆十六年十二月〈匣作〉中的記載：「十九日七品首領薩木哈來說，太監胡世傑交黑漆箱一對（隨軟硬套鎖鑰內一件俱有道子），傳旨著配裝百什件　欽此」。

這對大黑漆盒百什件，事實上應該是日本蒔繪漆盒，外盒尺寸長五十八公分、寬四十公分、高三十公分，由於一直添補文物，持續到乾隆十九年仍有相關紀錄。

這對黑漆盒百什件，其中一件有將近百件文物，另一件則是〈清　紫檀多寶格方匣〉，內部收貯包括書畫、銅器、瓷器、玉器等各種文物，還有西洋鼻煙盒或鼻煙壺等，種類繁多琳瑯滿目。而在黑漆箱內又加入獨立的多寶格匣，這也是乾隆皇帝的工匠巧思。這件紫檀木匣，匣頂上嵌一大玉璧，匣下加一方形蓮瓣臺座，收起時是方形木匣，四面透雕作花、桃等植物形開光，開光內透出內層書畫窗櫺，將書畫與工藝巧妙結合。

清　紫檀多寶格方匣

拉出四面透雕的屜板後，可分別旋轉出一扇形櫃架，四邊旋轉開來，從上往下看成風車造型，裡面則以小格的方式開架陳列各種材質文物，包括山水畫卷、硯臺、書鎮、杯子、瓶子等擺設，共有三十一件小物品，旋開櫃架上方面板作成金扇式樣，利用開窗與轉盤格架，使得書畫與文物在空間中巧妙結合。不僅如此，下方的方形臺座內還暗藏著的格屜，搭配各種文房用具於其中，文玩賞玩之樂，莫過於此。而盒頂玉璧取出時，其下的盒心內有瓷瓶一件。

欣賞這些百什件，除了超強的收貯功能與概念外，也如同跨越時空，與古人一同體驗尋寶遊戲之趣味。

乾隆皇帝的玩具箱

無論是複製、模仿或創作，都成就了清宮最引人入勝且

清　紫檀多寶格方匣

獨有的百什件，除了一目了然的古玩外，盒子裡總填裝不同且來自世界各地的玩意，在層層疊疊的空間中有著發現再發現的樂趣，又或是在一個又一個不易發現的暗屜中製造驚喜。我們可從乾隆朝的檔案中看到，乾隆皇帝不斷命人製作各式各樣的百什件。

乾隆皇帝針對內務府所收藏的書畫、銅器曾留下《秘殿珠林．石渠寶笈》、《西清古鑑》等著錄，而重要的瓷器及玉器也多有題詠，但對於幾乎貫穿乾隆朝都有製作的百什件，卻未留下隻字片語。或許對乾隆皇帝來說，由於百什件所收古玩多為小件且等級不高，自然沒有可以吟詠的題材，且百什件的重點在於裝配本身，如何在有限空間中層疊出最多的樂趣。這種充滿樂趣的尋寶遊戲，對日理萬機的乾隆皇帝來說，應只屬「幾暇遣玩之具」，然終其一世的確未曾間斷的製作，遂成為宮殿陳設中最讓人想一探究竟的物件。

清　紫檀多寶格方匣

第四部 ◎ 玉琮

1

鄭馨走後，小依有點落寞，不過她還是打起精神，做東西給大家補身。小依用一些藥材和雞肉燉了一鍋湯，大家喝了湯，都覺得元氣恢復許多。

「謝謝小依，你真好。」紫珊說。

「對啊，這湯好好喝，我平常在家最怕媽媽煮的藥膳，可是小依煮的湯就是好喝。」宗元說。

「謝謝小依。我好多了。」亞靖微笑道謝，他的臉色終於不再慘白。

「那就好。」小依被大家稱讚得臉都紅了，「爹爹說，加上一些人參補氣會更好，不過我們買不起，就是一些普通的藥材而已。」

「我記得虹橋橋頭有間人參鋪，我去買。」曄廷說。

「不不，你們是客人，怎麼好讓你們花錢？」小依急著搖手。

「我們先前幫忙吳老闆有拿到酬金，所以你不用擔心。還有，你之前給我們的錢，我先還你。」曄廷說，拿出一貫錢要給小依。

「不不不，這錢既然給了你們，就沒有收回的道理。」小依急忙後退，臉上帶著微慍之意。

兩人推來推去好一會，曄廷有法力，要讓小依收下不是難事，但是他不願把法力用在強迫朋友上，所以後來兩人達成共識，小依不拿錢，但是曄廷會去買人參和一些食物回來。

「我現在就去買。」曄廷趕忙站起來，似乎怕小依又反悔。

「我跟你去。」儀萱跟宗元同時站起來。

「不用，你們留下來幫忙紫珊照顧亞靖好了。」曄廷擺擺手，離開了成衣店。

「那我再去準備其他的藥材和雞肉。」小依也急忙站起身。

「你不要張羅這些，曄廷會去買的。」儀萱說。

但是說歸說，小依閒不下來，還是趕著去廚房準備。

「小依真是個好人。」紫珊由衷的說。

「是啊。」其他人也都同意。

＊＊＊

時間過了半晌，儀萱皺著眉頭說：「曄廷怎麼還沒回來？」

「你不要每五分鐘就問一次好不好？他是曄廷耶，他有法力，不會有事啦。」

宗元說，他在一旁呼吸運氣，勤加修習。

「你們不覺得他去很久了嗎？」儀萱的眼神滿是焦慮。

「他不是說要買些食物？可能去了不同的鋪子，你先不要急。」紫珊安慰她。

「對啊，說不定跑去吃什麼好吃的東西了。」宗元說。

「曄廷是個負責任的人，才不會像你吃了好吃的東西就忘了回來。」儀萱瞪他一眼。

「你知道他有責任心，就該相信他不會亂跑，再耐心等等。」紫珊說。

又過了一段時間，柴房的門被打開。

「曄廷！」儀萱跳了起來，但是進來的卻是小依。

「曄廷回來了嗎？我等著他的人參呢。」小依看著大家。每個人都搖頭。

「怎麼這麼久？」小依也皺起眉頭。

「虹橋的人參鋪子今天有開嗎？他會不會去了別家？」紫珊問。

「有啊，張老爹跟他兒子天天都在那。」小依說。

「我去問問。」儀萱站了起來。

「我跟你去。」宗元也站起來。

「不用……」儀萱話還沒說完，紫珊就打斷她。

「讓宗元跟你去。」紫珊堅持的說，「我們不知道曄廷發生什麼事，但是小心一點，彼此照應準沒錯。」

「好吧。」儀萱點點頭。

兩人沿著大路向東走，從小吃店、雜貨鋪、街上人群，一路張望，看會不會遇到準備回成衣店的曄廷，深怕一不小心就錯過。不過一路上都沒有他的身影。儀萱覺得越來越不安。

他們走出城門，街上一樣熱鬧，在閃過一個奔跑的小男生後走上一條小木橋，宗元看到有個年輕瘦高的女子坐在一旁，吃著大餅，他覺得女子有點眼熟，女子剛好也抬起頭來看到宗元，大大的眼睛對他一笑，大方的喊了聲：「公子。」

她清脆的聲音讓宗元馬上回想起來，「凌兒！」

凌兒就是他們剛來到〈清明上河圖〉時遇到的那位走繩索賣藝的少女。當時宗元賞了她一些銅錢，還被儀萱嘲笑了一番。

「呵呵，公子記性好，記得我們這種獻藝的人。」凌兒微笑的說，語氣開朗而不是怨懟。

「你不要叫我公子啦，叫我宗元就好。想不到那天看你表演的人那麼多，你還記得我。」宗元開心的笑著。

「我很會認人，只要見過的人就會有印象。」凌兒自豪的說。

「厲害。」宗元心中有點落寞，本來還以為是因為自己長得帥才讓人家印象深刻，原來是她認人的本領好，「對了，你走繩索的技術很強呢！我看得目不轉睛的。」

「謝謝你不嫌棄，我可不止會走繩索喔，不過我現在在休息，等下才會表演，你要不要留下來看？」凌兒問。

「我……」宗元不用轉頭就可以感覺到，儀萱在他身後射出兩道冷冷的目光，在他背上刻下「現在不是閒話家常的時候，我們得去找曄廷」。

「我還有事要先走，改天再跟你聊。」宗元馬上改口說。

「好！那我也去忙了。」凌兒爽朗的對宗元揮揮手。

宗元也對她揮揮手，跟上儀萱的腳步朝著前方虹橋走去。

走上石製的虹橋，橋上店家林立，他們馬上就看到在左手邊的第一間鋪子，有個布招牌上面寫著「人參」。

鋪子前人來人往，兩人走上前，一個穿著青衣的大叔過來招呼。

「這裡有長白山的野人參，是上等的貨，客官要不要看看？」大叔熱情的說。

「老闆，我想問一下，今天有沒有看到一個跟我們年紀相仿的少年到你店裡？他瘦瘦的，皮膚黑黑的，穿著打扮跟我們很像，不過他的衣服是黑色的。」儀萱描述曄廷的長相。

「他是我們的朋友，叫顧曄廷，他說要來這買人參，不知道他有來過嗎？」宗元問。

「有，我記得他，今天的客人不多。怎麼了？」大叔問。

「他一個人來嗎？買了什麼？」儀萱問。

「他一個人。我跟他介紹了長白山大野參，他聞了聞，覺得味道不錯，買了兩根。」大叔說。

「買完之後呢？他往哪走？」宗元問。

「這……我就不知道了。」大叔抓抓頭說。

「往那走了。」一個比較蒼老的聲音傳來。

宗元跟儀萱看到一個老人坐在人參鋪的後面，他指著鋪子有窗戶的那個方向。

「那是我爹，他把鋪子交給我後，大部分的時間就坐在窗邊看路人走來走去。」大叔說。

「老爹，你看到曄廷從這個方向離開嗎？」宗元問。

鋪子窗戶面對的就是他們來時的方向，如果老爹沒說錯，曄廷買完人參就往回走了。

「是啊，」老爹指著窗外，「他在這裡遇到一個人，然後跟他一起離開。」

「他遇到誰？」宗元跟儀萱整個緊張起來。

「一個男的，」老爹說，「我不認識。」

「他長什麼樣子？你有聽到他們的對話嗎？那個男的有說要去哪嗎？他們往

哪走？」宗元問了一連串問題。

老爹搖搖頭，答不上來。

「鋪子窗戶外面的橋頭空地，常常有人說書賣藝。今天是一個臉生的男子，我忙著做生意，沒仔細去聽他在說什麼。爹，你說他們的朋友是跟那男子走的？」大叔問。

老爹點點頭，喃喃的說：「他說，他可以帶人去什麼地方……」

「去什麼地方？」儀萱問。

老爹搖搖頭，又答不出來。

儀萱眼看問不出線索十分著急。

「他長什麼模樣？大概幾歲？」宗元問。

老爹想了想，指指頭的右邊說：「沒有耳朵。沒有我這麼老。」

「那有沒有我這麼老？」大叔打趣著說。

老爹盯著他一會，「有，有你那麼老。」

2

「這對父子真有趣。他們的感情一定很好。」宗元說。

「嗯，應該是。」儀萱敷衍的說，她仔細觀察每個走過的男子，想看看誰少一隻耳朵。

「你不要這樣一直盯著人家啦，在這個年代一個女孩子家這樣很奇怪耶。」宗元提醒她。

「不然你去問啊。」儀萱催促他。

兩人在附近打聽有沒有人看到一個少一邊耳朵的大叔，跟一個和他們年紀相仿、穿黑衣的男孩，可是都沒人看見。直到兩人來到一個小吃攤，小吃攤的老闆說有看到兩人經過，往西邊走去，但是去了哪裡，兩人有什麼特別的互動，就沒注意到了。

他們道謝後，轉回剛才來的方向。

「曄廷為什麼要跟那個沒耳朵的人走？」儀萱語氣帶著焦慮，「他是個有責任心的人，不會買了人參不回去，到處跟別人閒晃的。一定是遇到危險。」

「他想帶那個男人去裝義耳？」宗元發現儀萱眼露凶光，趕快改口，「我是說，那人有殘疾，曄廷生性善良，又熱心助人，說不定是帶那個男人去他想去的地方了。」

「我們沿路找找。」儀萱說。

「對啊，曄廷可能已經回到成衣店了。我們出來了一陣子，或許剛好跟他錯過。」

宗元的說法讓儀萱稍稍安心。兩人一路往回走，同時還是注意四周，看能不能遇到曄廷或是那位少一邊耳朵的男子。

他們再度經過凌兒賣藝的地方，凌兒剛好表演完，正在跟圍觀的人收錢。宗元心念一動，走上前去，儀萱想拉住他，但是他已經來到凌兒面前。

「凌兒，可以借一步說話嗎？」宗元問。

「可以，但你要等我收完錢。」凌兒正色說，看得出來她是一個認真看待自己工作的人。

宗元站在一旁，看她耐心的帶著微笑，一一經過每個圍觀的人，今天似乎成績不錯，不少人留下來，放一、兩個銅錢在她的碗裡。

「走啦，你留在這幹麼？」儀萱用氣音問他。

「問一些話。」宗元這次沒理會儀萱的催促。

終於，凌兒繞完一圈，等觀眾都散了，才來到宗元面前。

「什麼事？」她大大的眼睛看著他問。

「你說你很會認人，你記得我的朋友們的長相嗎？」宗元問。

「記得啊，跟你在一起的還有兩個男的，一個女的，他們各穿著黑色、白色、紅色的衣服。對不對？」凌兒臉上帶著得意的表情，「你們五位穿著五行的顏色，讓人印象深刻呢！」

「是，你真的記得。」宗元誇她，凌兒只是微微一笑。

接著宗元又問：「那你今天有沒有看到穿黑色衣服的那位？」

「有。」凌兒說。

本來神色不耐煩的儀萱，現在終於了解宗元為什麼要留下來，轉而專注的看著凌兒。

「你什麼時候看到他的？他一個人嗎？」儀萱問。

「她叫儀萱。那位穿黑衣服的朋友是她未來的夫婿，叫曄廷。」宗元說。儀萱瞪他一眼。

「大約中午過後，他一個人從這經過，當時我正在走繩索，只瞄到一眼他的側臉。之後我去對面的金蘭居找林大娘聊天，店裡不忙，林大娘便煮了一碗湯給我喝。我坐在靠窗的位置看著外面的行人來來去去，又看到你的朋友曄廷，不過那時他不是一個人。」凌兒說。

「他是不是跟一個少了一邊耳朵的人在一起？」儀萱問。

凌兒點點頭，「對啊。」

「那個人是誰你知道嗎？」宗元問。

凌兒搖搖頭，「我在路上看過他幾次，不過不知道他是誰。他從來沒有停下來看我的表演，也不曾對其他人感興趣，從沒見過他跟別人說話，每次就是經過而已。」

「那你可不可以多描述他的長相？」宗元問。

「他右邊的耳朵沒了，看起來像是受過傷。個頭中等，身材略瘦，膚色乾黃粗糙，但是兩眼有神，腿腳有力，是有練過的人。」

「練過？」儀萱問。

「像我這樣，學了一身功夫的人。」她看了看兩人，「我一看就知道你們也是練過的人。」

「就你的觀察，曄廷跟他在一起，是被逼迫的嗎？」宗元問。

「那男子沒有架著他或拿刀威脅他，但是我覺得曄廷的神色，怎麼說，顯得不悅，似乎不是自願跟那個人走的。」凌兒說。

「那我們之前經過時，你怎麼沒告訴我們這些？」儀萱語氣帶著不滿。

「你有說你們在找他嗎？」凌兒的大眼睛望回去，「我怎麼知道你想知道哪個路過的人的長相。」

她口氣不愠不火，卻讓儀萱回不了嘴。

「他們之間有說些什麼嗎？」宗元問。

「我看到他們在對話，但是那時我在金蘭居裡，距離太遠，沒聽到。」凌兒說。

「那他們最後往哪走了？」宗元問。

「往城裡去了。」凌兒說。

「走，我們去找他們。」儀萱顯得迫不及待。

「你們需要幫忙嗎？我在這一帶行走了一段時間，跟你們比起來，我更熟悉環境一些，認識的人也多一些，或許可以幫上忙。而且我有功夫在身，不會連累你們的。」凌兒爽朗的說。

宗元跟儀萱對看一眼，她說的話有道理，不過站在這跟她聊上幾分鐘，他們就得到不少訊息，更不要說她可以幫他們指認那個少一邊耳朵的人。

「那你的生意怎麼辦？」儀萱問。

凌兒瀟灑一笑，「我做這行，就是喜歡沒有拘束的日子，錢財對我來說是身外之物，夠用就好。對面的林大娘跟我交情好，我的東西可以請她照看。」

「這樣怎麼可以，我會付你錢的。」宗元馬上說。

「你剛剛沒聽我說嗎？」凌兒臉拉了下來，「錢夠用就好。我說了可以就是可以。」

宗元看她那麼乾脆豪氣，也不再囉唆客氣，「好，走吧！」

三人走進城門沒多久，凌兒忽然停下腳步。

「小空！」凌兒驚呼一聲向前衝去，宗元跟儀萱不知道她看到什麼這麼緊張，但也馬上追了上去。

只見前方有三、四個小孩圍成一圈，他們之中有人拿著長桿子，有人拿著石子，逗弄中間一隻猴子。

一個比較年長的胖男孩手中有塊大石頭，他臉上嘻嘻笑著，把手中的大石對著猴子砸去。

凌兒急忙衝上前，一手抓住胖男孩，可是他的石頭已經出手了。

眼見大石頭就要砸上猴子的腦袋，凌兒啊的一聲，卻見石頭在空中轉個彎，對著其他孩子飛去。幾個小孩看到大石頭來到眼前，嚇得一哄而散，胖男孩也趁機掙脫凌兒的手，跟著其他孩子們跑走。

凌兒蹲下抱起猴子，「小空，你怎麼在這裡？發生什麼事了？」

宗元跟儀萱也趕到，發現這隻猴子受傷了，身軀毛髮焦黑，腳上也有許多傷口，肩膀還流著血。

小空當然不會回話，只是緊緊的抱著凌兒，小小的猴臉上帶著恐懼。

「這是你的猴子？」儀萱問。剛才就是她出手施法讓大石頭轉彎，嚇走頑皮的小孩。

「這是爹爹的猴子，」凌兒檢視小空身上的傷口，臉上顯現憂色，「爹爹出來賣藝都會帶著小空，一人一猴，形影不離，現在小空獨自在這出現，又身受重傷，爹爹可能遇到危險了！」

小空聽到凌兒的話抬起頭，一雙大大圓圓的眼睛看著她，臉上也帶著憂傷。

「賣藝……」宗元想到進入這幅畫的第一天，曾遇到一個男子帶著一隻猴子，「小空是不是有件紅色的衣服跟帽子？我幾天前曾看到牠跟一個大漢在虹橋的另一頭賣藝。」

「是的。」凌兒眼神一凜，「看來我爹也跟著來汴京了。你說看到他的時候他在表演？」

「是啊，圍了好多人，大家看小空翻筋斗都樂得很。」儀萱說。

「聽起來，你不知道你爹來到汴京？」宗元問。

凌兒沒有回答，抱著小空，喃喃的說：「爹爹到底怎麼了？」

「小空是偷跑出來的嗎？以前牠曾這樣過嗎？」儀萱問。

「沒有，小空一直都跟著爹爹的，牠雖然調皮搗蛋，但是很有靈性，從沒有獨自離開爹爹。」凌兒說，抬頭看向宗元跟儀萱，「很抱歉，我不能陪你們去找朋友了，我要去找我爹。我擔心他是遇到危險，小空才會不在身邊。平常小空機警靈活，旁人要靠近牠並不容易，牠現在受了這麼多傷，所以才被小孩們困住戲弄。這些傷是從哪來的？我覺得很不安。」

「那你快去找你爹，希望他平安無事。」儀萱說。

「你們說，是在虹橋的另一頭看到他的？」凌兒問。

「是啊，在過了橋之後右邊那塊空地。」宗元說。

「那我先走了，希望你們快點找到曄廷。」凌兒說完抱起小空就要離開，宗元卻攔住了她。

「我們住在城裡的成衣店，你知道那裡嗎？」他看凌兒點點頭，繼續說道：「如果你需要幫忙，可以去那找我們，若我們不在，你可以留話給小依，她會轉達。」

「好，如果我又遇到那個少了耳朵的人，我也會幫你們留意他的去向。」凌兒說完便帶著小空往城外走去。

「現在怎麼辦？」儀萱問。

「我們先回去，告訴紫珊和亞靖，曄廷被人帶走的事，然後再分頭去找人。」宗元說，他看儀萱不安的表情又安慰她，「說不定曄廷擺脫那個人，現在已經回去了。」

儀萱有預感，事情並沒有那麼簡單，但是眼下也只能這樣，回去和其他兩人討論後再做打算。

3

儀萱跟宗元離開後，紫珊再度幫亞靖運氣，這次的效果不錯，亞靖覺得整個人神清氣爽。

這時門被打開，小依走進來，臉色怪異。

「外面有個駝背的女人說要找你們。」小依說，「態度真不好。」

「是祝由師余裏。」亞靖低聲說。

「她來做什麼？」紫珊皺著眉頭，「你在這休息，我去見她。」

「我沒事，我跟你一起去。」亞靖微微一笑。

兩人來到店外，看到余裏站在一棵樹下等他們。

「你找我們？」紫珊問。

「我要你們做一件事。」余襄說，口氣陰鬱傲慢。

兩人謹慎的看著她沒有說話。

「相信我，你們會搶著幫忙的，」余襄輕笑一聲，「我知道你們的朋友曄廷在哪，我要你們救他出來。」

兩人眼睛瞪得大大的，曄廷這麼久沒回來，難道真的出事了？

「他在哪？發生什麼事？如果他遇到危險，為什麼你不去救他？」紫珊問。

「哼，」余襄鼻子噴氣，「他是我的誰啊？我幹麼去救他？」

「所以你只是好心過來通知我們？」紫珊說，語氣中表明對余襄的不信任。

「我余襄做事，從來不是因為好心。」余襄說，「但是我知道，你們一定會去救朋友。」

「他在哪？」亞靖沉聲問。

「我不知道他在哪，但是我可以讓你們看到他在哪。」余襄說。

「要怎麼看？」紫珊問。

「到祝由科來。我只等半個時辰。」余襄說完就逕自離開。

紫珊和亞靖一時不知道該怎麼辦。

「我見識過她施的咒術，她在符紙上弄隻眼睛就可以看到不一樣的東西。我認為她說的是真的。」亞靖說。

「我不懷疑余襄的能力。但是她的動機？我實在想不出來她熱心提供線索給我們的原因，她自己都承認不是因為好心了。」紫珊皺著眉頭說。

「她肯定是有求於我們，只是現在還沒表明她要我們做什麼。」亞靖說。

「我想也是。」紫珊撇撇嘴說。

「我們要等宗元他們回來再一起去祝由科嗎？」亞靖問。

紫珊想了想，「我們先過去，可以留個口信讓小依轉達。」

亞靖點點頭，「好，我們先去探一下。」

兩人跟小依簡單交代後，往祝由科走去。

抵達祝由科後，外頭的門開著，兩人施法運氣，做好防備後走了進去。

空曠的前廳什麼家具都沒有，兩人警戒的看著四周，沒有看到任何符紙。這時，余襄從外面走了進來。

她彎著腰，駝背的身軀顯得行動緩慢，但是兩人都不敢大意。知道這人不是好惹的。

她看了他們一眼，冷笑一聲，「其他兩人呢？還在外面瞎忙找人是吧？」

「曄廷在哪？」紫珊不理會她的訕笑。

「你們自己看吧！」余襄說完從懷裡拿出一張黃色符紙，符紙朝上飛去，碰到屋梁後，馬上碎成粉末，這時屋梁上顯現出另一張符紙，這張是暗紅色的。

這張暗紅色的符紙原本大約信用卡大小，祝由師施法後隨即向四周延展，變成像四十吋電視螢幕那麼大。

這張大紙垂直矗立在他們的面前，余襄對著紙的中心用手一指，符紙上便出現一個大眼睛。

大眼睛對著他們眨了一下，然後在瞳孔的位置出現一個影像。

紫珊緊張的盯著瞳孔，亞靖心念一動，右手一翻，掌心朝上。

影像中是一個昏暗的地方，看不出來是哪裡，接著一張熟悉的臉孔出現在「鏡頭」前面。

是曄廷！

他的眼神帶著恐懼，對自己的處境感到很迷惑。此時，似乎有人猛然將他往後拉，他腳步不穩，一下子往後退了好幾步，跌坐在地。然後影像消失了，大眼睛也不復存在，暗紅色的符紙又縮回信用卡大小。余襄手一揮，射出黃色符紙，碰到暗紅符紙後散成粉狀，然後暗紅符紙也消失在眼前。

「讓我再看一次。」紫珊焦急的說，影片消失得太快了，她想找出更多線索。

「你已經看過了。就這樣。這個咒術我多施一次就會損傷我的精氣一些，我已經仁至義盡了。」余襄冷冷的說。

「那是哪裡？他是被誰帶去的？」紫珊質問。

「我說過，我不知道他在哪。」余襄說，「至於他被誰帶走倒是可以告訴你們，那是劉燐幹的好事，剛才那張符紙就是他送來給我的。他也不是好心送曄廷來給我解悶的，我說過，我每施咒術看一次，就會耗掉我一些力量。」

「所以劉燐想要害你？」亞靖問。

「這是我跟他的事，你們不用管。」余襄冷冷的說。

「你以為我們閒著沒事嗎？誰想管你們！我只要曄廷平安回來。」紫珊瞪著她。

「以我的能力沒辦法救出你們的朋友，但是你們可以幫我。」余襄說。

「什麼意思？」亞靖問。

「我要你們去幫我拿玉琮來。你們知道玉琮是什麼嗎？」余襄問。

亞靖搖搖頭。紫珊點點頭。

「你知道？」余襄有點驚訝。

「我家是開玉店的，店裡有收藏幾件玉琮。玉琮外方內圓，是一種祭祀的禮器。」紫珊說。

余襄看了她一眼，「沒錯，玉琮外方內圓，講的就是璧圓象天，琮方象地。古代的巫師常常用玉琮來祈福施法。祝由術傳承自古代的巫術，過去我跟在師父身邊修習時，他也是用玉琮來教我祝由術。只要你們幫我找到我要的玉琮，我的咒術就會增強，可以超越這張暗紅符紙的力量，這樣你們就可以找到你們的朋友，我也可以反過來制住劉燐。」

「所以你要我們去吳家古董幫你買一個玉琮？」紫珊問。她曾在吳家看過幾個玉琮，有特別多看幾眼。

「那店裡的玉琮粗鄙不堪，只能算有洞的石頭。」余襄不屑的說，「我要的，是皇后娘娘的玉琮。」

「你……你要我們去皇宮偷東西？」紫珊倒吸一口氣。

「我只是要取上面的力量，用完就會歸還。這不叫偷。」余襄的語氣蠻橫無理，「而且，我聽到消息，皇后娘娘的玉琮就在金明池的遊船上，你們只要去船上就好，不用潛入皇宮。」

「為什麼要我們去？你都可以把鄭馨從轎子裡帶走了，一個沒有生命的玉琮應該更容易啊。」亞靖說。

「錯。咒術不是萬能，想拿什麼就拿什麼，不然祝由師直接從皇宮庫房搬出白銀就好了，但這是不可能的！我之所以能用咒術讓鄭馨離開轎子，也是要讓她把事先準備好的符紙放進轎子裡，我才能在遠方施咒，裡應外合。況且，玉琮雖為玉石，不帶人的血氣，但如果是千年前用來祈福祭祀的玉琮，上面灌注滿滿的巫術，那力量可是非同小可。」

「所以，你要我們像鄭馨那樣，幫你把符咒放到玉琮上？既然咒術源自巫術，你要施咒有何困難？你自己為什麼不去放？」紫珊問。

「我剛剛不是說了嗎？」余襄表情不悅，「咒術不是萬能，我要你們去做自有道理，難道你們不想救朋友了嗎？顧曄廷被符咒困住，你們只要助我拿到玉琮，我自然會幫你們救他。」

余襄不讓他們繼續追問，拿出另一張黃色符紙續道：「這就是玉琮的樣子。現在在金明池皇后娘娘的遊船裡。」這張符紙大約一本書的大小，她用右手食指在自己的額頭上比劃一下，然後對著符紙做同樣的動作，最後再揮一下手，符紙飛到兩人的面前，他們在紙中間看到一個影像。

這個玉琮呈方形開口，長柱狀，像包裝酒瓶的直筒盒子。上面開口略寬於下方開口，裡面空心的部分則呈圓柱狀，表面上有整齊的橫向刻紋，讓整個玉件看起來像是堆疊起來的積木。

余襄又從懷裡拿出另一張符紙，這張呈正方形，大約一個月餅大小，她手一揚，符紙飛向紫珊，恰恰落在她的手中。

「你們進入遊船找到玉琮後，把這張符紙放入玉琮中間的圓洞中，我會在這裡施咒，玉琮便會來到我身邊，到時候，就可以破劉燐的咒術，救出你們的朋友。」余襄說完，沒有等兩人回應便轉身離開。

「喂，我們還沒有答應要幫你！」紫珊對著她大喊，但是她已經不見蹤影。

「現在怎麼辦？看來我們需要去金明池一趟。」亞靖說。

「我們先回小依家，跟宗元和儀萱討論一下。」紫珊說。

4

兩人回到成衣店，剛好碰到宗元和儀萱回來。

「你們去哪？」宗元問。

「曄廷回來了嗎？」儀萱問。

「你們找到曄廷了嗎？」紫珊也同時問。

四人回柴房，把剛才遇到的事情各自交代一下。

「我想，那個少一隻耳朵的人應該就是劉燐。」紫珊說，「他才有能力把曄廷帶走。」

「他為什麼要帶走曄廷？」儀萱氣呼呼的問。

「應該跟余襄有關，但是余襄並不多說。」紫珊說，「她用符紙讓我們看到曄廷，卻只說那張符紙是劉燐給她的，兩人聽起來好像有什麼糾葛。」

「她曾說過這位師弟移情別戀，看來兩人因愛生恨。」宗元說。

「你們在符紙裡看到曄廷？他在哪？」儀萱緊張的問。

「很可惜，她只讓我們看一下就收回去了，我只看到曄廷跌倒，其他來不及注意。」紫珊無奈的說。

「我去找她！叫她也給我看。」儀萱說。

「不用！我可以給你看。」亞靖說。大家驚訝的看著他。

亞靖伸出右手手掌，一道光芒從手中射出，在大家的眼前出現一面光屏，接著曄廷的臉出現在「螢幕」上。

「哇！」儀萱睜大眼睛。

「我看到余襄施咒，趕快用手中鏡把那些影像吸入，還好可以再放出來。」亞靖說。

「太好了，你把影片『下載』了。」宗元拍拍他的肩膀表示讚賞。

就像他們之前在祝由科看到的那樣，曄廷一臉不安，然後被人一扯往後退，跌坐在地上。

「亞靖，再放一次。」紫珊眼神專注，「你們看他的身邊，我好像看到有人。」

這次，亞靖用上更多的法力，試著把手中鏡的光線弄得更強，大家把注意力從曄廷身上移開，仔細看著他身後幽暗的地方。果然，有個男子的身影，在亞靖加強光線後，可以看到男子臉頰左側有耳朵，而右側則是一片黑暗。

「沒有右耳的男人！」宗元說。

「這邊暫停！」儀萱在曄廷跌坐在地時大喊，亞靖讓影像停在那。

「這地上看起來像是堅硬的石子，旁邊的牆也不是人工建築，看來他可能在某個石窖中。」儀萱說。

「我們有多一些線索了。」紫珊點點頭。

「那余襄說的玉琮長什麼樣子？」宗元問。

紫珊用詢問的眼光望著亞靖，亞靖點點頭，他手中鏡光一閃，大家都看到光芒中呈現的影像。

「這種方柱體造型的玉器就叫玉琮，是良渚文化晚期的遺物。它外面呈方形，裡面的洞是圓形，象徵古人對世界『天圓地方』的概念。」紫珊簡單解釋。

「上面好多刻紋啊。」儀萱湊上去看個仔細。

「玉琮在四個轉角上刻了小眼面紋，」紫珊數了一下，「這個玉琮總共有十七節，所以刻了六十八個小眼面紋。」

「那個小眼面紋是幹麼用的？」宗元問。

「在良渚時代，這代表『神徽』，這些圓形的紋路是神眼的意思。當時的人們用這件玉器來跟神溝通，是祭祀的禮器。」紫珊回答。

「余襄希望我們去幫她把玉琮拿來？」儀萱看著紫珊問。

「對。」紫珊說著拿出一張方形的符紙，「她要我們把這張紙放進玉琮裡。」

「走，那我們快去。我知道金明池怎麼走。」儀萱著急的說。

「等等，如果這個玉琮是皇后娘娘的，那我們怎麼可以幫余襄偷東西？」紫珊皺著眉頭。

「你什麼時候變成正義魔人了？」儀萱瞪著她，「我們在畫裡，這不是真實的世界，沒有人真的失去什麼東西，不會有關係的。」

「我們雖然不在現實世界，但是在這裡遇到的人都是真實的，小依、吳老闆、阿貴、鄭馨、雷東明、余襄……我們跟這些人互動，他們都是有感情、有感覺的人，不是假的。你會因為抓曄廷的人不是真的人，就不理他嗎？」紫珊正色說，「所以我們還是應該依照心中的道德來行事。」

「你怎麼這麼固執啊！你不是說，余襄答應用完就會還回去嗎？我們是要用來救人耶，而且不是別人，是我們的朋友曄廷！」儀萱覺得心中一股氣，越說越大聲。

「余襄這人行事怪異，怎能相信她？」紫珊說。

宗元看兩人爭執，也發表看法，「紫珊，以我們四人的力量，就算余襄到時候反悔，我們要把一個玉琮還回去應該也不難。我們不能見死不救，而且沒有曄廷，我們就要永遠待在畫裡，回不去了。」

儀萱聽宗元站在自己這邊，朝他用力點點頭。

「亞靖，你怎麼想的？」宗元轉頭問，他知道亞靖雖然話比較少，但也有自己的看法。

「或許，還有其他不用拿走玉琮的方法？」亞靖說。

紫珊一愣，一個想法浮現腦海，或許可以試試看。

「我需要你們的幫忙。」紫珊說。

5

四人在柴房裡商量了半天，小依送來晚餐，大家隨意吃了一些。

天色越來越暗，今天白天是陰天，晚上更是烏雲密布，月光星光都隱沒在雲層後面。

「看來會下雨。」儀萱說，語氣帶著期待。

四人先對自己施個不會被淋溼的法力，然後離開成衣店。

宗元先唸起杜牧的詩句：「清明時節雨紛紛。」

天空馬上下起小雨，滴滴答答，雖然不會讓人立刻溼透，但也讓行人紛紛走避，趕路回家。

四人向城西走去，先經過一個簡易便橋，來到一條大街，這裡有餐館、銀局，還有一家大澡堂。此時路上只有幾個人撐著傘趕路，沒有人將注意力放在他們四人身上。

他們來到路的盡頭，這裡是城門，再過去就出城了。這個西城門沒有東城門那麼雄偉高聳，但是城門後就是金明池，是皇家林園，不僅提供皇室貴族休憩散心，也是水師訓練的地方，所以城門緊閉，不讓人隨意進出。

不過四人不是一般人，他們沿著城門向北走一段路，這裡有幾株大樹挨著牆長，他們來到樹下，藉著樹擋住身影，然後提氣翻過牆頭，輕易的來到金明池。

即使天色昏暗，雨勢不斷，但四人習法後，包括視覺在內的感官變得敏銳，還是可以清楚看到四周景象。眼前一片池水，草木扶疏，建築宏偉，果然是皇家的庭園，規格就是比一般人家雄偉許多，也精緻許多。

他們沿著池中曲折的長堤往前走，來到第一座池中小島。他們從外圍繞行，來到島的另一側，再度踏上另一個長堤，這個長堤中間架高，讓船隻可以從下方經過，過了這個長堤後，他們來到另一座比較大的島。

這座島上有一個精緻閣樓，外面隔著一道牆，大門深鎖。

「往這邊走。」儀萱說。她是五人之中記憶力最好的，〈清明上河圖〉看個兩遍就把大部分的構圖都記下來了。

她帶著他們繞過建築外牆，沿著岸邊走。此時天上還下著小雨，地上泥濘，但是他們有法力護身，倒是沒有遇到太多阻礙。

他們來到大島的另一頭，這裡種了一排櫻樹，此時正是入春時分，樹上櫻花盛開，白天來看一定非常美。

四人站在岸邊看著池水，天色和水面一樣黝黑。

亞靖運氣施法，手一舉，一道柔和的光線射出，大家都清楚看到，在池的對岸，停靠著一艘華麗的遊船。

「就是那艘船。」儀萱低聲說。

「好。」紫珊說，眼神閃著光芒。

「你確定要自己去？」亞靖問，「我也會游泳。」

「我去就好。」紫珊語氣肯定，情緒振奮，「你幫我照亮水面，等我到對岸就收起來，剩下的我可以應付。」

亞靖點點頭。

「你要小心。」儀萱說。

紫珊再度對自己施法，確認全身不會受水氣侵擾，她呼吸運氣，縱身一躍，轉眼沒入池中，用力朝著對岸游去。

池水清涼，水面平靜，游起來並不費力。她跟曄廷都是學校的游泳校隊成員，要橫渡這座池子並不難。尤其亞靖手中鏡的光芒在前面引導著她，讓她更有安全感，盡全力向前游去。

紫珊很快的來到對岸，上岸時轉頭對亞靖揮一下手，身旁的光芒馬上退去。紫珊身上乾爽不帶任何水氣，她碰觸胸口的玉墜，玉墜發出紅色的光芒，讓她看到不遠處的遊船。

這遊船跟虹橋下的大型商船比，體積小上許多，但是造得十分精緻，船身畫著翱翔的鳳凰，線條優美，顏色鮮豔，豪華富麗，顯得此船尊貴無比。

紫珊從岸邊跳上船去，此時船上一個人也沒有，在她的意料之中。

儀萱告訴她，船艙上面設計著像是露臺的地方，那裡安排了一張龍椅，還有四張凳子，但她不記得有玉琮，於是紫珊略過露臺，直接從船頭裝飾氣派的大門走進船艙。

船艙內，一個看起來像是客廳的地方放了幾張雕刻精緻的木椅，中間的桌子上有個木托盤，上面就是他們在找的玉琮。

太好了！沒想到進行得這麼順利。

紫珊站在玉琮前，神色肅穆，她可以感受到這件玉器上面帶著巨大能量。她摸了一下胸口的小玉墜，上面的紅光越來越明顯，然後一隻火紅的朱雀出現在空中。

紫珊輕輕一揮手，朱雀朝著玉琮而去。牠優雅的繞著玉琮飛翔，轉了一圈又一圈，然後飛上屋梁，之後頭下尾上，對著玉琮上面的圓孔飛了進去。

紫珊運氣施法，感受到朱雀在玉琮裡釋放牠的力量，玉琮接收到後給予回應，朱雀也完整的吸收了玉琮的力量。

這就是他們的計畫。紫珊的法力跟玉有連結，所以他們決定讓紫珊上船，直接拿取玉琮的力量。這樣不僅不用偷走玉琮，玉琮的力量在他們這邊，不管是要救曄廷，或者跟佘襄斡旋都會有籌碼。

朱雀拿到力量後飛出玉琮，此時船身一個晃動，船艙門被打開，一個男人走了進來。此人身材精瘦，兩眼突出有神，紫珊先看向他的右耳，果然就是那個綁走曄廷，叫做劉燐的男人。

她居然沒注意到劉燐上了船，看來他的力量深不可測，紫珊全神貫注的看著他。

「這朱雀真是美麗啊！就跟姑娘一樣，外貌與能力相當，今日一見，令人佩服。」劉燐說。沒想到他說起話來文質彬彬，態度誠懇。

「你為什麼強行帶走我的朋友？他現在在哪？」紫珊問。

「姑娘誤會，我只是請賢弟過去小聚，何來強行之說。」劉燐微微搖頭。

「那你放他出來！」

「賢弟若想走，自然可以離開，我敬重他都來不及，不會害他的，姑娘千萬不要誤會。」劉燐態度真誠的說。

「這是真的？」紫珊懷疑的問。

「當然是真的，」劉燐炯炯大眼看著紫珊，「賢弟知書達禮，又善丹青，是難得的人才。我們能夠認識他是可遇不可求的緣分，你說對嗎？」

「是啊。」紫珊同意的微笑。她覺得全身放鬆，這人說的話很有道理。

「你這隻朱雀真是漂亮，可以讓我摸一下嗎？」劉燐對著朱雀招手，朱雀朝著他飛去。

就在朱雀快要站上他的肩膀時，紫珊才猛然一驚，不對勁！這個人正在對她施某種咒術！

她連忙施法抵抗，在最後一剎那終於讓朱雀轉向，飛離劉燐。

「姑娘真的誤會了，余襄才是你要留心的人。你想想看，什麼對你是最重要的？你想要的是什麼？」劉燐口氣真誠得像是付出關懷的心理師，「你要的是玉琮上的力量，還是你的朋友曄廷？」

「哼，說來說去，曄廷就是在你手上。」紫珊說。

「姑娘，余襄騙你來拿玉琮，其實她在玉琮上下了咒術，她要害你，玉琮的力量會殺了你的！讓我幫你把這個力量拿出來。」劉燐講得好像他要幫紫珊拿出體內的腫瘤那樣的神聖，紫珊現在知道劉燐的厲害，他用咒術隨便講一些話就讓她信服，失去戒心，但是施法抵抗後用心去聽，就會知道他在胡說八道。

紫珊沒有跟他對話，也不去想他話裡的意思，她手一揮，朱雀口中噴出火焰，朝著劉燐而去。

劉燐繼續勸說紫珊，口氣溫文和善，不疾不徐，但是手中也同時射出許多暗紅色的符紙，這更是提醒了紫珊，余襄給他們看的那張來自劉燐的符紙也是暗紅色的，劉燐就是抓走曄廷的人。

暗紅色的符紙對著火焰飛去，像是飛蛾撲火一般紛紛被燒毀。紫珊大樂，心想：劉燐在話語中施的咒術讓她差點著了道，不過真的打起來攻擊力普通而已。

劉燐似乎不以為意，繼續送出符紙，看起來好像廟裡燒金紙一般，他隨手送出好幾張符紙對著朱雀而去，卻張張燒成灰燼。

紫珊想制伏他，逼他交出曄廷，但幾回過招後，似乎沒有想像中容易。

她再度催加法力，火焰更加往前朝劉燐而去，看來就要抓住他了，沒想到，那些被燒成灰燼的無數張符紙，忽然在空中集結起來，成了一個巨大的灰網，對著紫珊迎面撲去。

這灰網帶著巨大的力量，紫珊盡可能躲開，朱雀也對著灰網噴出大火，但是灰網在空中快速一轉，居然繞過紫珊，從她後面撲來，整個纏繞住她，把她撲倒在地！

6

紫珊努力施法，卻沒辦法掙脫灰網的束縛，朱雀也失去力量，回到玉墜中。

「這朱雀的力量帶著邪氣，你真的要小心啊！還好遇到我，我來幫你處理。」劉燐手上拿出另一張小符紙對著紫珊的玉墜而去。

紫珊在地上站不起來，不過她看到符紙迎面而來，心念一動，從懷裡拿出余襄給她的黃色符紙，迅速往劉燐的手背上貼去。

劉燐怎麼也沒料到她有符紙，想要撕去卻來不及了，只聽他啊了一聲，就在紫珊的眼前消失蹤影。

紫珊身上的灰網也跟著消失，她站起身，驚魂未定的走出船艙，看到宗元、儀萱、亞靖也來到岸邊。

「紫珊，你還好嗎？」亞靖問。

「我們在岸邊看到船艙裡火光閃爍，所以趕快過來找你。」宗元說。

「我沒事。」紫珊喘口氣，把剛才發生的事告訴其他三人。

「你們也游泳過來？」紫珊問。

「你看。」儀萱指著池水得意的說，「我不會游泳，所以我施法讓池底的土升上來，還好這池子不深，土堤寬度也只需要足夠我們走過來就好了。」

紫珊驚訝的看著池中，果然有一條「土路」，從這裡穿過池子通往對岸。

「你說劉燐不見了，這是怎麼回事？他去了哪裡？」宗元問。

「走，我們快去祝由科。他被余襄抓走了，路上再跟你們解釋。」紫珊跟著大家走上連接著池水兩端的土堤，循著原路回到城內。

「當我被劉燐困住那剎那，我想到余襄給我的符紙。她說我只要把它放在玉琮裡，她就可以裡應外合，從遠處施咒，把玉琮搬運到她面前。所以當劉燐準備用符咒對付我時，我趕快把余襄的符紙貼在他手上，是余襄的力量把他帶走的。」紫珊解釋。

「那我們現在要去救他？他也不是好人！」儀萱撇撇嘴。

「他不是好人，但是曄廷在他手上。余襄跟他有仇，說不定會殺了他，才不會管曄廷死活。所以要救曄廷，我們還真的必須救他！」紫珊說。

四人加緊腳步，翻過城牆，穿過城區，來到祝由科。

此時夜色正濃，街上悄無人聲，祝由科大門緊閉，看不出有什麼事情發生。

「現在怎麼辦？」亞靖問。

「我們闖進去。」儀萱說，她看了紫珊一眼，擔心她會講出什麼不可以私闖民宅的正義言論。

「好。」沒想到紫珊也贊同。

他們輕易的翻牆進到院子，儀萱走上通往前廳的階梯，伸手一推，大門應聲開啟。

裡面一片黑暗，亞靖立刻用手中鏡射出光芒，儀萱也出聲警告：「施法保護自己。」

四人走進屋內，這裡一個人也沒有，他們看向屋頂牆角，確定沒有滿屋的符紙等著他們。

「人咧？」宗元問。

「我感覺整間屋子充滿符咒的力量，他們之前的確在這裡。」亞靖警戒的說。

「我們四處找找。」紫珊說。

四人小心移動腳步，將屋子仔細查看過一遍，沒有放過任何可能的線索。

「你們看我找到什麼！」儀萱一聲驚呼，從地上撿起一樣事物。

「這是什麼？」宗元問。

「這是余襄給我們看曄廷的符紙！」紫珊驚訝的說。

亞靖走上前，用手摸一下，「是這張沒錯，我用手中鏡從符紙取得影像，我可以感覺到是同一張。」

「之前余襄說看這符紙會損害她的精氣，於是用咒術把它蓋起來，藏在屋梁上，不知道現在為什麼會落在這？」紫珊說。

「對啊，這兩個祝由師不見蹤影，卻留下這張符紙，會不會是什麼陷阱？」儀萱說。

紫珊沉思一會，「余襄說，這張符紙是劉燐給她的。原因不明，但是絕不是出自好意。余襄要我們幫她去拿玉琮，她說玉琮可以幫她超越這張符紙的力量，我們就可以找到我們的朋友……」

「你是說，玉琮可以制伏這張符紙的咒術？」儀萱問。

「我不是很清楚她的意思，」紫珊搖搖頭，「但是聽起來，玉琮上的力量，跟這張符紙有關係。」

「而且可能讓我們找到曄廷。」儀萱語氣期待。

「唯一能確定的方式，就是試一下嘍。」宗元說。

紫珊看向其他人，點點頭，接下儀萱手中的符紙。

她感到符紙在手中微微的震動，然後手一揚，符紙懸浮在他們的面前。

紫珊雖然不會咒術，不過用法力讓符紙停在空中並不困難。接著，她再對符紙施法，想像余襄那樣讓紙變大，紙中心出現眼睛，但是不管怎麼試都不成。

看來，要用上玉琮的力量了。

紫珊深呼吸，把玉琮的力量跟法力相結合，緩緩運送到全身穴道，她感覺到玉琮上冰涼堅硬的閃玉特質，同時也聽到玉聲。

不是耳朵真實聽到，而是感受到。那是幾千年前，長江下游的良渚文化的巫師們祈福的咒語，透過玉琮上六十八對的小眼面紋，向天祈求平順豐收。

她讓玉琮的力量來到手上，凝聚在食指尖，然後對著符紙中心指去。

原先信用卡大小的暗紅色符紙，開始向四周延伸，變成四十吋電視螢幕大小。她再灌入更多的力量，紙的中心出現一隻眼睛。

「紫珊你做到了！」儀萱驚喜的說。

「看看我們可以看到什麼。」紫珊表情慎重。

她直直的望進那隻眼睛，把在玉琮上聽到的玉聲咒語，加上自己的法力，形成一股新的力量，然後她的手對著眼眸的地方一指，將這股力量傳送出去。

紙上的眼睛像是被喚醒一般，回應這個力量，對著他們一眨，然後呈現一個影像。

「這……這是怎麼回事？」宗元瞪大眼睛。

其他人也看到了，影像中有兩個人，大家都認出來，是余襄還有少了一邊耳朵的劉燐。怪異的是兩人的姿勢。劉燐在左側，余襄在右側，兩人面對面，但是都不是直直的站著。劉燐一腳在前，一腳在後，身軀挺直，右臂向前伸，手呈爪狀，像是要去抓余襄一般。余襄駝著背，兩腳微蹲，身軀向前，左臂舉高手肘彎曲，不知道是打算阻擋劉燐還是對他進攻。

「這個影片為什麼定格在這裡？」亞靖問。

儀萱仔細看了看，「不是影片定格，你們注意看，他們還在眨眼睛，是他們的身體被定住。」

「他們在搞什麼鬼啊？難怪這裡怎麼找都找不到人。」宗元說。

儀萱又端詳得更仔細，「這裡像是我們看到曄廷被囚禁的地方，你們看，地上還有牆上的石頭紋路很接近。」

其他人無法分辨土石的細節，不過都相信儀萱的判斷。

「所以他們現在跟曄廷在一起？但是為什麼看不到曄廷？」宗元問。

「不知道。我們能不能也進去這個空間？」儀萱轉頭問紫珊。

「我試試看。」紫珊專注的盯著符紙上的眼睛。

她繼續運送法力，玉琮的力量從瞳孔進入。

「讓我們進去找曄廷。」紫珊心裡默唸。

忽然間，每個人感到空氣的流動，正確的說，是身邊的氣流不停發出咻咻的聲音，朝著瞳孔而去。

「這隻眼睛要把我們吸進去！」紫珊喊著，耳邊的風聲越來越大聲。

「我們會不會回不來？」亞靖也喊著。

「不知道。」紫珊說。

「先進去再說。」宗元跟儀萱異口同聲的說。

「保護自己！」紫珊提醒同伴，然後放鬆身體，跟著其他人伴隨氣流往前進，最後被吸進瞳孔中。

7

他們覺得身體猛然一凜，呼吸一緊，然後發現身在一個幽暗的空間。雖然沒有燈火，但是四人的視覺比一般人敏銳，所以隱約可以看到周圍的環境。

首先就是余襄跟劉燐兩人，他們就像剛剛看到的那樣，姿勢被定格般的站在眼前。

四人不知道他們在搞什麼鬼，他們運氣施法保護自己，小心的檢視四周。

「你們倆發生什麼事？」紫珊問。

可以看到這兩人胸口起伏，眼球轉動，但是就是全身僵住不動。

他們看到四人出現，眼神中都有很明顯的訝異、驚嚇，還有憤怒。

「曄廷在哪？」儀萱問。

兩人不知道是不肯講，還是不能講，他們緊閉著嘴，沒有出聲。

「你們再不說話，別怪我下手喔！」宗元舉起手作勢要打人。

「不要碰他們，誰知道他們搞什麼鬼。」儀萱阻止他。

「快，我們四處去找找。」紫珊對其他三人說。

亞靖將手中鏡點亮，發現劉燐身後似乎有條路，帶領朋友向前走去。紫珊走在最後面，隨時注意余襄和劉燐兩人有沒有什麼動作。

像隧道的石頭地面崎嶇不平，越往前走，石頭越來越少，土砂越來越多。

「咦！」儀萱發出質疑的聲音。

亞靖停下來轉頭看她，怕她有什麼狀況，其他兩人也停下來。

「這個土……」儀萱把手按上身旁的土牆，「這裡的土跟金明池底的土是一樣的。我們現在在金明池底下。」

「你怎麼知道是一樣的土？」宗元問。

「當時，我們看到紫珊在皇后遊船上跟劉燐打起來時，我不是用法力把池底的土弄上來讓大家走過去嗎？我的法力跟那裡的土相連，所以我記得那土的感覺，就跟這裡的一樣。」儀萱解釋。

儀萱轉過身，朝不同方向比劃一下，指著剛才經過的路上說：「那邊是石質，這邊是土質，位在金明池下，這樣我有概念了。走，繼續往前。」

他們往前沒走幾步，忽然後面傳來一聲巨響，回頭一看，頭頂上的石壁不斷落下，整個地面都在震動。

轟隆……轟隆……

「快跑！」宗元大喊。

四人用盡全力向前跑去。

轟隆……轟隆……

石頭在他們身後落下，儀萱讓其他三人跟落石拉出一段距離後，她一邊轉過身對著土石施法，一邊快速後退。

終於，在儀萱的控制下落石停止繼續崩塌，隧道裡沙塵瀰漫，引得大家猛烈咳嗽。

儀萱見狀趕快再施法，讓塵埃落定。

大家回過頭看，來時路徑已經被落石整個堵住，他們回不去了。剛才如果走得慢一些，現在四人肯定被埋進石堆底下。

「看來我們只能往前走了。」宗元說。

四人沒有異議，繼續向前走去，更加小心謹慎。

「我們來到盡頭了。」亞靖手高舉，大家看到前面沒有去路，只有一面土牆。

儀萱擠過亞靖走到土牆前，她把手掌貼著牆，施法一按，土牆紛紛剝落，露出一個狹小的空間。

「曄廷！」儀萱看到土牆後的曄廷大聲驚呼，她手腳並用的爬進去，其他人也跟著進去，五個人在裡面顯得擁擠，可是沒有人介意，大家都很開心能看到曄廷。

「你們……你們是怎麼找到我的？」曄廷顯得虛弱，但是神智清楚。

「說來話長，我們先帶你出去。」儀萱很開心的用力抱著曄廷，順便傳送一些力量給他。

「你能走嗎？」宗元問，「要不要我背你？」

「我可以走，只是我的法力受到束縛，使不出來。」曄廷懊惱的說。

「那你知道出口的位置嗎？」紫珊問。

「就是你們進來的地方，好像有一條路。」曄廷說。

「那條路不知道為什麼崩了，回不去了。」宗元說。

「我們再找找看，一定有辦法的。」紫珊仔細查看著各個角落。

儀萱用手到處觸碰身旁的土塊，摸到最裡面靠近頭頂的地方時喊著：「你們來幫我！我們一起施法，把這裡的土推開。」

四人齊心協力，紫珊喚出朱雀，宗元喚出青龍，亞靖喚出白虎，儀萱喚出黃龍，四隻神獸對著儀萱指定的地方飛去，雖然沒有曄廷的玄武，牠們的力量還是非常強大。慢慢的，頂上的土彷彿冰遇到火一樣，一一消融，變成一個可以讓人通過的大洞。

「成功了！」儀萱低聲喊道。大家可以從洞口看到外面的天空，此時天色是深藍色，墨色的黑夜已經過去。

「天快亮了，我們快離開。」紫珊說。

宗元先爬出去，然後回頭拉曄廷一把，亞靖則在下面幫忙推，三人順利爬了出去。

五人出了洞口，發現昏暗中有好幾雙明亮的眼睛瞪著他們。

「哈哈，好多鹿啊。」宗元說。

「有八隻鹿。」亞靖說。

「你們看這隻公鹿，全身白毛好美啊！」紫珊說。

「儀萱，這是哪裡？你把我們帶到動物園了嗎？」宗元笑著問。

「這裡還是金明池，」儀萱說，「我們快走，前面就是城門了。」

古物的身世——良渚文化晚期玉琮

文／國立故宮博物院研究人員
蔡慶良口述、毛舞雲整理

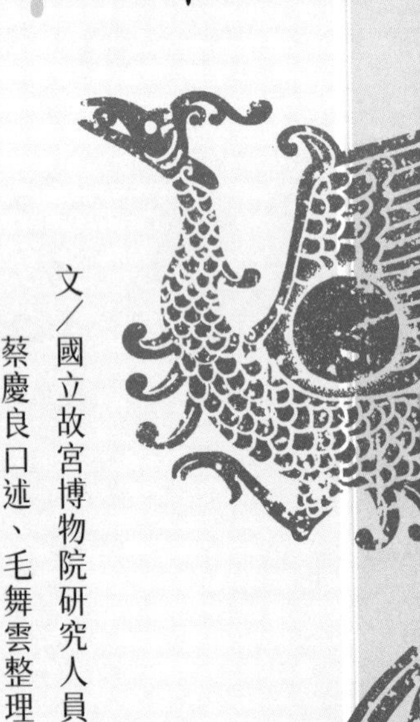

玉琮的身世

玉琮的身世要追溯到新石器時代晚期良渚文化。良渚文化最早發現於杭州良渚地區，故以地名命名，依目前考古可知主要分布於太湖流域。玉琮造型特徵為內圓外方，多數學者認為此種形制象徵天圓地方；也有學者認為，此為舉行祭典時讓神靈暫駐之所，不論哪種說法更加正確，皆說明玉琮具有至高無上的宗教意涵。

本書中出現的這件玉琮，是故宮典藏的各式玉琮中尺寸最高者，和全世界玉琮相比則位列第三。色澤呈深碧綠色，上下共分十七節，每一節都是神人面部的簡化形式，仔細觀察，可以看到每一節中都有四組，共八個小眼睛，並以柱體的轉折角為對稱中軸，就如同面部的鼻梁一樣，所以每一節共有四個面部，面部上方的兩道橫長面積則是神人頭頂所戴的羽冠。

我們如何能從這樣簡單的線條中解讀出這是戴著羽冠的神人？因為良渚文化的反山十二號墓中曾經出土一件極為精細的玉琮，表面雕琢著寫實的圖案，此圖案刻劃出頭戴羽冠、騎乘神獸上的神人，學者稱之為「神人獸面紋」。正因為出土了這件不可思議的玉琮和其上圖案，我們才能知道故宮這件玉琮的

良渚文化晚期　玉琮

圖案不但省略了神人下方的神獸，同時也簡化神人面部，羽冠更簡化到只剩下兩道橫長方形面積。這種簡化後的神人，常見於良渚文化晚期的玉琮中。

玉琮的製作

良渚文化的時代為新石器時代晚期，當時物資十分匱乏，面對堅韌的玉料，製作者首先必須找到比玉料更堅硬的材質作為工具，才能夠切割並進一步製作。值得注意的是，包括玉琮在內的玉器，其製作方式皆是「琢磨」而不是雕刻，所謂「玉不磨、不成器」，正是此意。何況新石器時代晚期還沒有金屬工具，相較於今日，製作玉器實在極度困難，當時只能尋找比玉料堅硬的礦物搗成細碎的「解玉砂」（意即解開玉料的細砂，如金剛砂），並設法黏附在玉料上，用動物的角、牙齒或其他工具來回琢磨；我們在玉器表面上經常可見細細的圓弧凹痕，應該是由緊繃的軟性線來回帶動解玉砂拉鋸而成，這樣的線痕在本書的這件玉琮上也可以看到。

從玉琮製作所留下的工具痕跡，可推想當時使用的製作工具相當簡易原始，然而玉琮卻能達到規整精緻、今人難以想像的藝術成就，可見是當時人們不惜代價傾力製作而得，何以有此決心和毅力呢？主要是宗教信念使然——因為玉琮是人們和天神溝通的媒介，是向上天祈福並求得庇佑的宗教重器，在這樣的信仰意志下，即使動用龐大資源，累代接力製作出此件玉琮也在所不惜。

如何欣賞玉琮

這件玉琮的造型上端稍寬、底部較窄，並非精準勻稱的長方柱體。許多民眾在展覽

良渚文化晚期　玉琮

廳看到這件玉琮時，都以為故宮將其上下顛倒放反了，為何會有這樣的看法呢？因為人類的視覺天性傾向於穩定，認為下寬上窄才是穩定且正確的擺放方式；但若細察玉琮上的紋飾，「上寬下窄」的造型才可正確辨識出其上的神人面紋，說明上寬下窄的放置方式，符合良渚文化的實情；其次，只有這樣擺放時，才會發現玉琮的頂部四面，都暗藏幾乎看不見的神祕符號，這是良渚人與上天溝通的通天密碼，由此再次證明上寬下窄的造型才是正確，且其背後必有特殊原因。

時空的隔閡會使後人在欣賞文物時做出錯誤的判斷。例如這件新石器時代晚期的玉琮在入藏清宮後，乾隆皇帝也誤判時代和用途，以為這件玉琮是夏商周時期套在轎子或車橫桿上的槓頭，多虧近代考古發現，讓我們了解到這種玉琮是新石器時代晚期的禮器，相關的起源和功能才得以確認。

故宮典藏的其他玉琮

在展廳中位於本件玉琮右邊的白色玉琮，是可以作為比較的好例子。這件玉琮器表呈白色，表示曾經深埋土中再出土，才會形成此種生坑特徵（包括有未經盤磨的白化現象及斑駁表面），器表琢磨有完整精緻的神人獸面紋。此件玉琮尺寸較短，說明製成年代稍早，應為良渚文化中期。

而本書提到的褐色玉琮因為曾入藏清宮，經過後人盤磨保養，所以形成了典型的熟坑特徵（包括

良渚文化早期　雕紋玉方鐲

表面光滑、色澤含蓄飽滿等特徵），圖案為簡化的神人而無神獸，形制聳高，屬良渚文化晚期。

經過上述簡單比較，我們可以知道良渚文化中、晚期玉琮的主要差別，本書的褐色玉琮以其形制優美、琢磨精緻，是良渚文化晚期玉琮的代表，為不可多得的重寶，所以在故宮玉器中位居國寶之列，誠屬實至名歸。

然而，無論哪件良渚玉琮，都需經過繁複的製作過程，並投入巨大的人力物力始能完成。即便過程如此艱辛，良渚人仍堅持不斷創作出這樣的作品，其原因是根植於良渚人相信玉琮蘊藏至高無上的神祕力量，具有溝通天地的超自然神力。

打開鑑賞文物的視野

藉由過去導覽所累積的經驗，提供兩點供大家參考。

第一，**現代人所想的未必是古代人所想**。從玉琮的擺放方式可以驗證，現代人習慣的觀看方式未必等同良渚人的觀看方式。同理，古今審美意識和價值觀也可能大異其趣，所以應放下自身的主觀印象，嘗試以當時的環境條件理解過去的歷史和文物，才能解讀出文物的真正意義。

第二，**許多人認為新石器時代晚期的人未經開化，是茹毛飲血的原始人，所以製作的東西也相當粗淺原始**。但事實未必如此，從玉琮規整的造型和精緻的紋飾，可知新石器時代晚期玉器製作者的創造力和美感意識皆豐沛非常。當然，也許你會感到好奇，為什麼本書介紹的玉琮看來相當簡單、略顯平淡。這是因為玉琮是宗教重器，良渚人在治玉技巧已完全成熟、游刃有餘的情況下，經過深思熟慮，最終選擇此種純樸風格來表達內心的虔敬恭謹；如同我們不會穿著生日派對的華麗禮服去參加祭祖活動，因為祭祖場合肅穆嚴肅，衣著以深色、簡樸、低調為宜。良渚人有意識選擇簡約風格製作玉琮，實屬必然。

人同此心、心同此理，雖然良渚文化距今四、五千年之久，但人類代代遺傳的ＤＮ

Ａ並沒有改變，對於美的創造力和感知力仍具有相當的共通性，所以只要願意花一點時間換位思考，拋開時代的框架，站在不同歷史的角度和創作者的立場來欣賞作品，就很容易和古人做朋友了。

第五部

白瓷嬰兒枕

1

五人回到成衣店時，天剛亮，但是大夥都累翻了，用了許多的法力又整晚沒睡，加上精神緊繃，一回去倒頭就睡，直到正午才醒來。

「曄廷你覺得怎樣？」儀萱關心的問。

「你的法力還在嗎？」紫珊問。

「我沒事……法力還在，只是有種奇怪的力量束縛著它。」曄廷口氣平穩，但是大家可以聽出他的擔憂。

「我幫你運氣。」儀萱拉著他盤腿坐下來。她坐在他後面，手貼著他的背，緩緩施法。

「到底發生什麼事？你怎麼會被劉燐抓去？」宗元問。

「我不是去虹橋頭買人參嗎？買完後在旁邊的空地上看到有不少人圍觀，我以為是說書先生，並沒有多想，但當我經過時，聽到他對著群眾說的話，卻忍不住停下來。這個少了一邊耳朵的人，就是劉燐。

「他對著群眾說：『各位可知？我們都活在一幅畫裡，你以為你有大好人生，完美前途？你錯了，其實我們渺小如蟻，只是別人畫裡的一筆。』他講的真摯誠懇，許多人都猛點頭。我站在那聽他說了好一會。」曄廷停頓一下，喘一口氣。

「這是他的咒術之一，用言語左右你的思緒，我在船上差點被他洗腦。」紫珊說。

「你比較聰明，我當時一點心理準備都沒有，只想一直聽下去。」曄廷繼續說，「後來他說完了，圍觀的人開始離開，可是我還是不想走，現在想想，他那時就把目標對準我，施咒術在我身上。他跟我說：『小兄弟，你知道嗎？我們都可以離開這幅畫的。』我一驚問他：『什麼意思？』他靠過來壓低聲音說：『我們被下了詛咒，永生永世被困在這。』我正想著要如何解釋這個情況，他拿出一張暗紅色的紙出來說：『你只要看著這張紙，就可以逃離這幅畫。』

「我可以自由進出畫境，知道那需要多少法力才能做到，這個江湖術士真是隨口撒謊，但是我聽了他的話，卻不由自主的看著紙，這時紙上出現一股力量，快速對我撲來，我驚訝的發現，體內的法力被這股力量澈底束縛住了。我試著鎮定下來，這人力量強大，如果想要置我於死地一定不難，但是他只是把我的法力困住，八成是要我活著，甚至想利用我幫他做事，我不能慌，一定有機會脫身的。」

「你真不簡單，我如果發現自己失去法力，恐怕會先嚇昏。」宗元吐吐舌頭說。

「嚇昏也沒用啊，」曄廷無奈的笑笑，「就這樣，他用這個力量讓我跟他走，我們走進了城門，過了兒科診所，然後他在李大叔的鞋攤對面一間屋子前停了下來，那裡是他落腳的地方。他帶著我進去，我才發現裡面滿屋的符紙，是他法力的大本營。

「他告訴我他叫劉燐，是個祝由師，他『請』我來是希望我能跟他合作，他知道我能進出畫境，可以找到畫仙，要我帶他出去。他講得好可憐，說是因為他的孩子生病了，聽說畫仙力量強大，想請她幫忙看病。」

「你不要相信他，」紫珊插嘴，「他這人說話會擺出一副非常誠懇的態度，但是話裡前後矛盾，沒有邏輯，他連小孩生病這種事都拿出來，就是想引起你的同情，真是可惡。」

「就算真的孩子生病，我也不能帶這幅畫裡的人物去另外一幅畫啊！」曄廷說，「所以我就拒絕他了。他當然非常氣憤，這時，有人走了進來，是一個滿臉鬍鬚的彪形大漢，我覺得眼熟，但一時想不起來是誰，反倒是大漢認出我。他指著我跟劉燐說：『燐師，這人怎麼會在這？上次我要帶走吳家小兒，就是他出現壞了事。』

「他這一說我就想起來，那時跟紫珊、儀萱在街上遇到有人綁架吳風，這個鬍鬚大漢就是那時的綁匪。劉燐看著我說：『啊，我想胡十三怎麼連一個孩子都帶不走，原來是因為你。』」

「原來那個綁架案跟劉燐有關。」儀萱說。

「想不到他還是個誘拐兒童的販子，真是可惡。」宗元忿忿的說。

「而且聽起來好像他們已經做了不止一次。」紫珊擔憂的說。

「對，從他們之後的對話中，我才知道，小依的娘親跟弟弟被蒙面人殺害的事，就是這個胡十三要去誘拐小依的弟弟，她娘死命抵抗，掙扎中，母子都被殺了。剛好小依跟她爹從外面回來，他原本打算把他們也殺了，是畫仙跟我們一起出手阻止，才救了小依跟她爹。」曄廷說。

「原來這件事跟小依也有關係。」亞靖說。

曄廷點點頭，繼續說下去，「那個胡十三問劉燐：『那些壞我們事的人不是被殺就是被我抓起來，這小子要怎麼處理？』

「劉燐回答：『這個人我有特別的用處，你先下去。』他看了我好一會，然後拿出另外一張符紙，在上面畫了一隻眼睛，那隻眼睛盯著我看，把我吸了進去，我就被關到你們找到我的那個地方了。」

曄廷說完自己被囚的經過，四人聽了都覺得膽戰心驚。

「那你們是怎麼找到我的？」曄廷問。

「你很久沒回來，然後……」其他人也分別告訴曄廷，在他離開後發生的事情。

「我實在不懂，他為什麼要給余襄那張暗紅色符紙，讓她看到曄廷？」紫珊提出問題。

「一定跟他們兩個人之間的糾葛有關。」亞靖說。

「不要管他們的恩怨情仇了，曄廷回來就好。」儀萱開心的說。

「他們倆搞不好在地洞裡被那些石頭壓死了。」宗元說。

「對了，我想到一件事，我們在祝由科看到的那張暗紅色符紙，應該還在那。」紫珊說。

「要去拿嗎？」亞靖看著大家。

「我們找到曄廷，不要管這些了。」儀萱說。

「可是那張符紙留在那會不會有危險？我們是不是應該把它毀了？」宗元問。

「要有特別的力量才會被吸進去，我們五個人之中也只有紫珊有玉琮的力量，一般人就算撿到應該也不會怎麼樣。」儀萱說。

「我們先想辦法恢復曄廷的法力，其他的事之後再說。」紫珊說。

「我們輪流幫曄廷運氣，這樣比較快。」宗元說。

「謝謝你們。」曄廷感激的說。

2

余襄看著他眼裡的光芒，覺得是她這一生看過最美的光芒。只是現在，在這奇怪的地洞中，他眼裡的光芒就像刀一樣的銳利。

余襄看著劉燐，這場賽局，想不到是用這種方式結束。同歸於盡也好。

她不知道該憤怒，還是該欣慰；該後悔，還是該慶幸。

或許，還有她不願承認的甜蜜。

她看進他的眼裡，那雙微凸的大眼炯炯有神，過去的回憶瞬間湧上心頭。

十歲那年，師父帶著劉燐來到河邊石屋前。

「襄兒，這是你未來的師弟劉燐。你現在是師姐了，要好好照顧人家。」師父撚著鬍鬚說。

余襄看著這個比她年長幾歲，高出一個頭的「師弟」，覺得很好奇。她知道在師父的門下，輩分不是照年紀，而是照拜入師門的先後。余襄前面有兩個師兄，一個師姐，現在終於有人要叫她師姐了，她非常開心。

「師姐。」劉燐很恭敬的喊了一聲。

余襄心裡樂歪了。

從此，師姐師弟兩人跟著其他同門，向師父學習咒術。

「祝由術在上古時代就存在了，本與巫術同源。就字面的意思，祝同咒，由，病所從生也。歷代中醫也有祝由一脈。」師父對他們說，「許多人認為祝由一術是妖妄之說，異端之教，那是因無知產生的畏懼。祝由是一門高深的學問，『因知百病之勝，先知百病之所以』，這才是祝由有成效的原因。」

師父傳授他們祝由十三科：大方脈、諸風科、胎產科、眼目科、小兒科、口齒科、痘疹科、傷勞科、耳鼻科、瘡腫科、金簇科、書禁科、砭鍼科。

每天早上的早課先唸祝水咒，次唸祝黑咒，三唸祝紙咒，四唸祝筆咒，五唸將祝文，唸完後唸書符咒三遍，然後焚香讀師父獨門祕練的祝由經文。

練完早課後，在午膳前，師父讓大家隨意行動，余襄喜歡拉著劉燐去河邊玩。天熱時，兩人會下河游泳泡水抓魚，天冷時就在岸邊烤火看大船經過。下午再繼續學唸咒，畫符紙，修習人的周身百穴，病理藥理。

「燐師弟，等過幾年，我要帶你坐船去江南玩，聽說江南物產豐饒，好玩的東西可多了。」余襄看著河邊來來去去的商船說。這年她十四歲，劉燐十五歲。

「師姐去哪，我都願意跟著去。有師姐在的地方，就是好玩的地方。」劉燐看著她，眼眸帶著光芒，語氣帶著真情。

「那你要好好練咒術啊！」余襄忍不住唸他，「進度老是落後，師父說你好多次了。」

余襄覺得劉燐什麼都好，就是資質沒有她高，學起祝由術總是差她一截。

「是，謝謝師姐教誨，我一定更努力。」劉燐低著頭小聲的說。

余襄敲了一下他的頭，「走，我們再去練祝語咒，你老是唸得亂七八糟的，要讓人心平安，唸的是『古尬，以啊，噫噫啊喇』，你老是唸成『古個以二，噫二喇』，這樣不行的。」

劉燐點點頭。

余襄看了他一眼，柔聲的說：「你不要怨師姐嚴格，我是為你好，你要有成就，就要好好努力。」

「我怎麼會怨呢？師姐的用心，我一直放在心上的。」劉燐溫柔一笑。

余襄自己努力練就祝由術，也用心幫忙劉燐。劉燐不笨，相反的，跟其他的師兄姐比起來，他雖最後入門，但是後來居上，咒術練得比他們還強，只是余襄是五人之中最頂尖的，資質最好，也是師父的愛徒，劉燐緊跟在後，已經算不簡單了。

余襄當然也知道劉燐功力不弱，但總是對他有更高的期望，而且師父帶劉燐入門那天，叮囑余襄好好照顧師弟的話讓她牢記在心，所以她也時時提醒劉燐要好好努力。

這是她表達感情的方式。

十歲之前，余襄跟爹娘住在城裡，爹爹幫人運貨，娘幫人補衣服，一家人雖不富貴，但也是平安順遂。

娘對爹就是一直要求他努力工作，多賺點錢，每天耳提面命，提醒爹不要鬆懈，還規定爹爹拿到工錢就全部交給她。爹爹沉默少言，對妻子的要求照單全收，不論大小事就是依照娘的話去做。

「你又在看那個枕頭了。」娘的口氣中帶著滿滿的不以為然。

「這是余家的祖傳寶貝，就這一件遺留下來，唉。」爹嘆一口氣。

那是個瓷枕。據爹爹說，余家先人在宋朝時定居在河北定州，當時幾個附近的村子都有窯廠，剛開始是民窯，做出來的碗盤瓶盆都是尋常人家用的東西。後來因為這裡的瓷器質地精緻，釉澤瑩潤，受到朝廷的注意，北宋後期開始幫皇宮製作用瓷，就是後世有名的珍品——定窯。

爹爹說，定窯以白瓷為主，就像流傳下來的那件瓷枕那樣，胎土細膩，釉色純白卻不死白，帶著滋潤含光的光澤，是上等的作品。

余家跟其他村人一樣，製作了許多品質優異的瓷器，風光一時。只是他們也隨著時代的戰亂人禍逐漸衰落，最後一門技藝止於元朝。余家後人離開了定州，各處發展，遺留下來的定窯瓷器也鮮少被好好保存。

爹爹手上的瓷枕是他們家現存唯一的一個。

余襄從小就喜歡去摸摸那個瓷枕。這個瓷枕不是一般方磚造型，而是一個嬰孩的造型。

嬰兒側著臉，俯趴在榻上，他頭枕在交叉的雙臂上，小小的兩個腳掌交疊微翹，嬰孩背部下彎的曲線就是睡覺時擺放頭頸的地方。

嬰兒俏皮可愛，他身上罩著一件錦鍛背心，前襟上有球型綿紋，背上刻劃著纏枝牡丹。身下趴的臥榻，也有細緻的紋路線條，通體潤白純淨，處處顯示出富貴氣質。

余襄一直希望能有手足陪伴自己，可是娘的身體不好，家裡只有她一個女兒。她每次看著這個瓷枕，都忍不住幻想要是有個弟弟妹妹該是多有趣啊！

爹爹看著嬰兒瓷枕，則是一直感嘆余家的沒落，慚愧自己不爭氣。

「你看看你祖先是何等風光，現在你手裡只剩這個娃娃枕，再不努力進取，是不是太對不起先人了？」娘總是這樣跟爹說，期望爹可以更勤勞不懈。

爹爹每次聽完只嘆一口氣，不回一語。

在她九歲那年，娘生病過世了，這對爹爹造成巨大的打擊，他每天鬱鬱寡歡，無心工作，沉浸在與亡妻的美好回憶裡。余襄小小年紀，覺得這是世上最真摯的感情，最完美的相處方式。

爹爹不工作，家裡的錢很快就用完了，終於一日，爹爹覺得不能再這樣渾渾噩噩下去，決心振作起來，他平時幫人搬運貨物，因此不能分身照顧余襄，就決定把她送到師父那學祝由術，每年他會過來探望她兩次。爹爹告訴余襄，他會依照娘的心願，努力工作存錢，將來會買一個大宅子，再把她接回家。

終於，在她十八歲那年，爹爹攢夠錢買了宅子，就在城裡大街上，他真的履行自己的諾言，來接余襄回去了。

父女終於可以生活在一起，兩人都非常開心。看著女兒從小女孩長成亭亭玉立的少女，聰明漂亮，還會高深的祝由術，作為父親的最後一個願望，就是給她找一門好親事。

余襄這時候才跟爹爹說，她已心有所屬，非劉燐不嫁。他知道女兒的脾氣，她是一個固執有主見的人，看上的男人也一定不差，所以毫不猶豫的去他們的師父那提親，把親事定下來。

只是爹爹這些年沒日沒夜的工作，身上累積了不少病痛，兩人重逢快樂的日子只維持半年，爹爹就因病過世，留下余襄一個人。

那年余襄十九歲，她已不是當年九歲的小孩，可以自己照顧自己了。她在大門外掛上「祝由科」的牌子，把宅子的前廳用來看診。

接下來，她要和劉燐成親，把他接過來住，兩人一起開業。她要跟他長相廝守，像她爹娘一樣相親相愛，他們倆會祝由術，所以不會像爹娘一樣受病痛之苦，一定可以白頭到老的。

她撫著爹爹留給她的嬰孩瓷枕，她跟劉燐也要生一個這樣的白胖娃娃。不，要好幾個。

只是，當她置辦完爹爹的後事，開業的事準備妥當，去師父那找劉燐時，師父卻說他已經離開了。

余襄不敢相信！怎麼可能？他們是從小一起長大，一起修習的師姐弟，而且兩情相悅，訂了終身，他怎麼可以離開？

余襄來到師父告訴她的地方，那是一間在城外東邊林子旁的木屋，屋子沒城裡的精緻豪華，但是占地也不小，頗有規模，旁邊是一片農地。

師弟住在這種地方。她忍不住皺眉，為什麼？

正思量著，一名模樣秀麗的女子從屋內走出來，余襄正納悶是不是自己找錯地方時，後面一名男子也走了出來，正是劉燐。

「師弟。」余襄喊了一聲，覺得口乾舌燥。

劉燐看到她愣了一下，低頭跟身邊女子說了幾句話，接著等女子轉身進屋，才對著余襄走過來。

「師姐。」

「那是誰？你為什麼在這裡？」余襄問。

劉燐迎上她的冰冷目光，「那是我的妻子。她寡居三年了，一個人孤苦伶仃，最近遇到我，我可憐她生活無依無靠，給予援助，這段時間我們相互扶持，情投意合，決定結為連理……」

「什麼情投意合，結為連理？那我們呢？你我可是有婚約的啊……」余襄覺得全身精氣快要散掉了，但同時又有一股炙熱的怒火充盈胸口。

「師姐，我對不起你，你對我的敦敦教誨，我這一生都萬分感激……」

「感激？我不要你的感激！你只看到我的教誨？那你有看到我對你的真情

嗎？」余襄打斷他。

「師姐一片用心，師弟無以回報。師姐才貌雙全，咒術無雙，師弟德薄才疏，配不上師姐。相信師姐日後必能另覓佳婿。」劉燐對她深深一揖。

「我得不到的，別人也別想得到。」余襄一喊，一道符紙對著劉燐飛去，陰風颯颯，盤旋而來。

劉燐一愣，沒想到余襄居然對他出手。同門十年，他對余襄的招式了然於心，他也馬上回了一道符紙，只見天色一暗，天空降下大雨。

剎那間風雨交加，路上行人紛紛走避，而兩人持續你來我往，一時不分勝負。

余襄暗暗心驚，想不到才半年不見，劉燐咒術進步這麼多。她一時討不了好，而師門相殘更是修習咒術的大忌，她手勢一轉，收起了符紙，風勢停歇，劉燐也馬上停止了雨勢。

「想不到你功力大增啊！」余襄哼了一聲。

「師姐承讓。」劉燐說。

余襄感到萬分悲痛，他那聲「師姐」喚起許多過往的記憶，她看著劉燐，再看一眼那間屋子，不再言語，轉身離開。

過了兩天，她再去找他，卻發現人去樓空，看來，劉燐知道以她的個性沒那麼輕易罷休，肯定會再回來出心中的惡氣，所以連夜帶著妻子搬離。

沒有關係，他日後還是會來求我的。余襄冷笑心想。

3

周凌兒抱著小空，焦急的往城外去。爹爹到底發生什麼事？

她出生沒多久娘就病死了，只剩下他們父女倆相依為命。爹為了生活，做過好多工作，幫人砍柴、抬轎子，還做過縴夫，墾過農地。

一次，爹在山上撿柴時，救下一隻被大鷹攻擊的小猴子，他把小猴子帶回家照顧，之後小猴子傷勢痊癒卻不肯離開，一定要跟著他們。

當時凌兒覺得小猴子可愛，也求爹爹留下牠。爹爹看牠乖巧聽話，又機靈聰明，就答應了。他們給牠取了個小名——小空。

之後周木炎發現小空喜歡學人的動作，每次都逗得凌兒哈哈大笑。周木炎心生一計，不如帶著小空擺攤賣藝討生活。於是他跟一個師父學拳腳功夫和內力運氣，再訓練小空做各種有趣的動作，像是掙脫術、空中翻滾、走繩索、爬長竿、跳躍等。

凌兒也在旁邊跟著學習，周木炎覺得他們在外行走，女孩家有能力保護自己也是好事，於是沒有反對。不過他並不讓凌兒上場表演，最多就是讓她在表演最後拿碗收錢。

「女孩家在外面露臉成何體統！我是你爹，自當照料你的生活，等你成親後，就換你的夫婿照料你。」周木炎總是固執的說。

「可是爹，我真的喜歡走索、踢瓶、踢罄、弄刀、踩高蹺這些雜耍。我可以的，你讓我試試吧！」凌兒哀求著說。

「我說不行就是不行！」周木炎完全沒有給女兒商量的餘地。

直到一次，周木炎發燒生病，凌兒說要代替他上場表演，他還是斷然拒絕，說自己休息兩天就好。沒想到，那次一病就病了一個月，他不但沒法下床，身上的錢拿去買藥看病、住客棧也快要見底，於是淩兒不顧爹爹反對，帶著小空跟雜耍工具到街頭賣藝，大家看她年輕漂亮，表演精湛，打賞十分大方，賺了不少銀兩。她也得以請來更好的大夫，終於把周木炎的病給治好。

只是周木炎的態度還是不變。

「我現在身體好轉，你不要再表演了，如果我連自己閨女也養不起的事傳出去，這個臉就丟大了。」周木炎鄭重的說。

「爹，你年紀大了，讓我替你分擔吧！我真的喜歡表演。」淩兒誠懇的說，她多希望可以改變爹的態度。

「你喜歡，你未來的夫家不會喜歡的。」周木炎說。

「我不想嫁人，我想四海為家，到處行走表演。」淩兒也堅持。

「此事不用多說，我不會答應的。我這就給你找媒人去。」周木炎說完便轉身離開。

淩兒知道爹爹說到做到，她想了想，不願就這樣嫁人過一生，如今爹爹身體轉好，她要自己去闖一闖。

她把身上的錢統統留給爹，因為她知道憑自己的能力可以賺到更多的錢，小空也留給爹，牠可以代替她陪伴爹。

就這樣，在安排跟媒人見面的前一晚，凌兒帶著自己的用具，留下一張字條，趁著夜色昏暗，離開了爹爹。

她身上有功夫，不僅可以保護自己，有時候路見不平，還可以幫助他人。她開始在不同的城市街頭賣藝，展開屬於自己的新生活。

沒有夫婿，沒有穩定的收入，沒有固定的屋瓦遮風避雨，但是她覺得可以自給自足，四處遊歷長見識，這才是她想要的日子。

就這樣，她來到汴京。這是一座大城市，有各色各樣的人，有川流不停的船隻，有五花八門的商家，有數不盡的小吃店，生活節奏快速，樣樣都讓她覺得驚奇，什麼都想學習了解。

凌兒決定在這個城市住下，她用便宜的價錢在郊外租下棲身之所，開始在城門外的一個小空地雜耍演出。

她天生識人能力強，行走在外，這能力也讓她可以自保，若有誰想跟蹤她，或想在她身邊兜轉試圖打劫偷竊，都會很快被她識破。

這天，她在踩高蹺的時候看到暐廷單獨走過去。她注意到他們五人穿著代表五行顏色的衣服，這陣子在城裡城外頻繁走動。其中一個出手大方，後來知道他叫宗元，在看完表演後曾打賞她一點錢。

過沒多久，暐廷又往城裡走，這次他身邊出現了另一個人。這人她也見過，身材精瘦，有雙突出的大眼睛，少了右邊的耳朵。

她自告奮勇想幫宗元和儀萱找暐廷，卻沒想到才進城，就看到小空受傷，單獨流落在外。而根據宗元的說法，爹爹也來到汴京了。

爹爹怎麼了？

她抱著小空走過虹橋，來到宗元說的地方，眼前只是臨著河岸的一片空地，行人來來去去，幾艘商船停靠在岸邊。

「請問你有看到一個留著鬍鬚的男子，在這裡帶著猴子賣藝嗎？」凌兒攔住一個路人問。

「沒有。」路人擺擺手，不耐煩的離開。

她問了幾個人都沒有收穫，她看到一旁有人坐在地上休息，旁邊還有兩頭牛，便走上去問：「小哥，請問你有看到一個留著鬍鬚的男子，在這裡帶著猴子賣藝嗎？」

「有，他們本來在那邊的，」年輕小哥指著空地，「不過你要看表演的話，恐怕要失望了。」

「什麼意思？你知道那個男子去哪了嗎？」凌兒問。這時，小空從她懷裡探出頭來，小哥也看到了。

「咦，這不就是那隻叫小空的猴子嗎？牠居然還活著。」

「是，你認得牠？到底發生什麼事了？」凌兒有不祥的預感。

「唉，我中午看那男子跟小空在表演，他忽然停了下來大喝：『喂，放開那孩子』，然後直直朝著人群走去，我看著他去的方向，有一個胖胖的大漢牽著一個小男孩正要離開，同時有人喊著：『我的孩子呢？』賣藝的男子很快的跑到大漢身旁，拉住孩子，不讓走。大漢看他追來，身邊的眾人都開始圍觀，便推了賣藝男子一把說：『要你多管閒事，哼，找死！』他說完，趁著賣藝男子倒在地上，一片混亂中轉身就走。圍觀的人扶起了男子，那個孩子的娘也急忙跑來將孩子抱回去，一直謝謝他相救。

「圍觀的人有人讚他急公好義，即使沒看到全部的表演，還是留下錢給他，然後人群就漸漸散了。我本來要找個小館子吃飯的，後來卻看到有四、五個人朝著賣藝男子走去，其中一個就是那個大漢，看起來是剛才沒能得手，回頭來報復。

「那個賣藝男子倒是有兩下子，但是一人不敵四人啊，沒多久他就連連挨打，小空跳了上去，要去保護主人，也是被痛打一頓，然後他跟小空就被抓住，讓那群人帶走了。唉，世風日下啊！」小哥搖頭嘆氣一番。

凌兒聽得驚心動魄，原來小空是找機會逃走的。

「你知道那些人是誰？他們帶男子去哪了嗎？」她問。

「那些人是專門替人做打手的。」小哥低聲說，「惹不起的啊！」說完對凌兒擺擺手，牽著牛隻離開。

凌兒抱著小空，摸摸牠的頭。小空也伸出小手，摸摸凌兒的臉。

「小空，我們一定會找到爹爹的。」

凌兒雖然焦急，但是她告訴自己要冷靜下來，不能慌。她坐在橋下岸邊，此時夕陽西下，天色越來越暗，她看著船隻來來往往，心想：她可以自己去找這些人，但是這些人有門派、有組織，不是她一個人可以應付得了的。或者可以去找宗元和儀萱，她看得出來，他們五人並非常人，宗元也答應她，若需要幫忙可以去找他。

出門在外，能自己解決的事她向來不會麻煩旁人，不過這次關係到爹的安危，她決定去找宗元。

她知道城裡的成衣店，也認識小依，原本打算存夠錢後請她幫忙裁製一套特別的黑色衣服，裡面要縫一些暗袋，讓她放一些表演用的物品，隨手變出把戲。

但沒想到去到成衣店後，小依告訴她，他們都出門了，不知道什麼時候才會回來。她一時無策，只好先回去，等第二天再說。

第二天早上，她四處詢問，可是沒有消息，她抱著最壞的打算到汴河邊，看看有沒有人發現無名屍，還好江邊無事。她詢問了許多路人，沒有人遇到怪事。不過當她問起有沒有人看到四名大漢跟一名中年男子，有人說好像看到他們往城裡方向去。

雖然這人並不確定，但是凌兒不想放棄任何一點可能，還是往城裡走，也可以看看宗元他們是否回到小依家。

她在路上走著，遠遠就看到宗元走來，身邊還有另外兩名他的同伴，不是曄廷跟儀萱。

她很興奮的跑上前，「宗元！」

「凌兒！你找到你爹了嗎？」宗元關心的問。

「沒有。」凌兒搖搖頭，「你也還沒找到曄廷嗎？」

「找到了！」宗元開心的說，「這是紫珊，這是亞靖。」

紫珊和亞靖點頭示意。

「這是凌兒，還有她的猴子小空。我們看過她走繩索。」宗元也向朋友介紹，「她的爹爹不見了。」

「我打聽到一些消息。」凌兒把問到的事情跟他們說。三人聽完面色凝重。

「看來你爹爹也被同一個兒童誘拐集團的人帶走了。」宗元說。

「什麼意思？」凌兒問。

「曄廷回來後告訴我們，那個少了右邊耳朵的人叫劉燐，他跟他的手下在綁架孩子，如果有人阻撓就會被他們抓去。你爹爹挺身而出，阻止了小男孩被綁架，害得自己也被人打傷帶走了。」紫珊把在曄廷那聽到的事告訴凌兒。

「我們現在就是要去曄廷說的那個地方，看看是不是還有其他小孩被關起來。」亞靖說。

「我跟你們去，我爹可能也被他們的人帶走了。」凌兒說。她看大家沉默，又補了一句，「你們不用照顧我，我會一些功夫的。」

紫珊看凌兒憂心父親的下落，也知道她不是花拳繡腿，肯定的點點頭，「我贊成。」

「我也是。」亞靖說。

「好吧！劉燐跟余襄現在被困在地洞裡，我們快趁這時候去救人。」宗元說。

於是四人加一隻猴子來到李大叔的鞋攤，攤子的對面果然有棟宅子，目前大門緊閉，不過這對他們幾個人來說算不了什麼阻礙。

「曄廷說，裡面有很多符紙，不知道劉燐被困住後，這些符紙的力量還在不在？」宗元小聲的說。

「我們還是小心為妙，一點都不能疏忽。」紫珊警告大家。她對胸口的玉墜施了法力，然後拿下來，掛在凌兒的脖子上。

「這個借你，可以保護你一陣子。」紫珊說。

「謝謝。」凌兒感激的說。

她抱緊小空，跟著他們來到門口。亞靖推了推門，果然是鎖著的。

宗元走上前，手掌按向門板，微微運氣施力，接著就聽到鎖頭鬆開的聲音。

亞靖再度推門，大門向內敞開。

4

三人運氣保護自己，凌兒也感到一股溫暖的力量包覆全身，她轉頭對紫珊點頭表示謝意。

他們走進去，映入眼簾的是一個小院子，堆滿雜物，院子過去是個廳堂。他們來到一扇門前，門片半掩著，宗元首先推門，踏入大廳。

他才一進門，眼前一堆黑色的事物對著他而去，撲打他一身，原來是一群黑鳥。

「千山鳥飛絕！」宗元低喊。眼前的鳥一隻隻在空中爆開，但是卻沒有消失，變成無數張暗紅色的碎紙片。碎紙片在空中飛舞，而且還發出嗡嗡聲，乍看好像滿天的蒼蠅。

紫珊和亞靖跟著進入大廳，看到宗元沒能一下子消滅這些紙片，也都運起法力，幫忙對抗。

紫珊喚出朱雀，亞靖運起手中鏡，兩人加入戰局。

朱雀在空中來回飛翔，口中噴出火焰，碎紙片在空中飄忽不定，像是加了速的蒼蠅，閃過火焰，但是還是很多沒有躲過，在朱雀來回的火焰下，燒成灰燼。

亞靖的手中鏡射出銀白亮光，他運上法力，光芒帶著力量，像是蒼蠅拍一樣，對著碎紙片打去，被掃到的紙馬上墜落，消失無蹤。

另一頭宗元唸起黃庭堅〈荊州即事藥名詩八首其七〉中的「雨如覆盆來」，馬上點點水滴從天而降，那些躲過火焰、鏡光的碎紙這下都被水浸溼，飛不起來了。

三人同心協力，沒多久，所有的紙片終於都消失了。

大廳之中，一名男子盤腿坐在地上，他們認得他，是劉燐。

「想不到你脫困了。」紫珊說。他們沒料到會在這裡看到他，以為他跟余襄還在地洞中。

「小姑娘，我們又見面了，唉，玉琮的力量對你真的不好，要早日去除。若你肯信我，我可以助你一臂之力。」劉燐口氣真誠的說。

「信你？信你還不如信月亮會唱歌。」宗元哼了一聲。

「凌兒，你要運內力護住你的心志，他的話不可聽、不可信。」紫珊出言警告凌兒。

劉燐並沒被激怒，只是搖搖頭，「你們都被余襄迷惑了，她做了許多壞事，不是你們可以理解的。如果你們願意，我可以告訴你們全部的事情。」

「我們不需要聽你們倆的恩怨情仇，只要你把凌兒的爹爹放出來，把擄走的小孩放回去，並且保證不再誘拐孩子，我們就非常感謝了。」紫珊說。

「我爹呢？」凌兒沉著聲問。

「你就是凌兒？你爹爹是誰？」劉燐問。

「他叫周木炎，他被你的手下打傷抓來了。」凌兒說。

「唉，這些人做事總是會錯我的意思，請人來作客這麼不禮貌，我回頭就教訓他們。你爹平安無事，我可以幫他醫傷治病。」劉燐輕描淡寫的說，然後他微凸的眼睛盯著小空，「好可愛的小猴啊。」

他眼睛露出疼愛的眼神，右手伸出，對著小空輕揮兩下，「來來，要不要吃香蕉？」大家看他手上並沒有香蕉，卻沒想到，小空臉上露出歡喜的樣子，馬上掙脫凌兒的擁抱，奔向劉燐，而且還從他的手上「拿過香蕉」，對著空氣，津津有味的吃了起來。

大家馬上了解，他對小空施了咒術。

「你把猴子還給我。」凌兒對他喊道。

「你們對我誤會很深，想好好講個話也不成，小猴乖巧伶俐，我看著喜歡，就讓牠跟我玩一會，你們聽我說個故事如何？」劉燐愛憐的摸摸小空。

四人無奈，只好點頭。同時他們感到一個力量逼近，這力量並未過於霸道，就是讓他們坐下，於是他們也跟劉燐一樣，盤腿坐在地上。

劉燐揉揉小空的脖子。小空瞇著眼睛，很享受的樣子，不知情的人看了還以為劉燐很有愛心，其實大家都看得出來，他在暗示他們不要輕舉妄動。

劉燐開始說起自己的故事。

「我小時候家境清苦，娘生了七個孩子後，有一天夜裡，爹在外面跟人喝酒，走夜路回家，結果不小心落在河裡，就再也沒爬上岸。娘為了照顧我們七兄妹，嫁給了當地的一個地主當小妾。在那之後，娘不用再擔心我們餓死、冷死，但是我們兄妹在大娘的威嚇下，個個學會看臉色吃飯。若是忤逆大娘的意見，就會招來一頓毒打，或是沒有飯吃。我們都懂得遇到地位比我們高的人，不是要說好聽話，就是乖乖閉嘴，如此才能生存下去。

「只是，六年後我的繼父生病，大娘擔心我們這些繼子會爭奪家產，逼迫我娘把四個兒子都送走，三個女兒留下來做丫鬟。就這樣，大哥、二哥去學木工，小弟到客棧當伙計，而我則被送去師父那學祝由術，也就是咒術。在那裡，我遇到我的師姐余襄。平時師父便已經高高在上，還有一個師姐會命令我東，命令我西，但是我沒辦法抱怨，師姐說什麼，我就做什麼。她的要求很嚴格，我一做不好就會挨罵，跟在繼父家裡一樣。

「我在大娘底下學會看人臉色，聽話乖順，所以面對師姐也是相同的態度。我努力學習，可是在她眼裡，我永遠不夠好，永遠達不到她的殷殷期望。每次用咒術過招，她都毫不留情，說是為了激勵我進步。有一次她失手，咒術失準，從我臉頰射去，我的右耳就這樣毀了。」

四人看到他失去耳朵的樣子，也覺得心有不忍。

劉燐倒是神情不變，繼續說道：「有一天師姐的爹爹接她回家，我心中暗喜，終於不用受她控制了，可是沒多久，她跟她爹一起來找師父。余老先生說，他的閨女對我心有所屬，讓他來提這門親事。我在旁邊聽了非常訝異，我從不知道師姐喜歡我，我一直在她面前抬不起頭來，覺得她瞧不起我，殊不知，她原來屬意於我？

「我聽了後一時不知作何反應，當時年紀輕，只覺得不能違背長輩的意思，否則會招來責罵。所以他們說什麼，我都點頭說好。但是後來他們離開後，我越想越害怕，我對師姐只有敬重，完全沒有男女之情啊！」

「你不喜歡人家，幹麼答應婚事啊？」宗元忍不住插嘴。

劉燐不理會他，繼續說下去，「有一天，有個女子來找師父，說她夫婿過世三年，她還是鬱鬱寡歡，覺得人世無趣。師父剛好那幾天身體不適，所以讓我去替她施祝由術。幾次之後，這個叫琬貞的女子心裡寬慰許多，對我非常感激，常常來找我說話解悶，我也漸漸被她的溫柔氣息所吸引。

「琬貞對我敬重有加，講話也細聲輕語，從未粗聲說過一句話，這讓我十分感動，因為從來沒有人這樣對待過我。我們相知相惜，決定結髮為夫妻。後來師姐找到我，我跟她解釋，可惜師姐為人固執，由愛生恨，做下不可原諒的事。」

「她殺了你的妻子？」紫珊猜測。

劉燐眼光哀戚，「她離開時暗中對我們下了咒語，只是當時我並不知道。我跟琬貞結髮數年後，她身懷有孕，我們非常歡喜。經過懷胎十月，順利產下一名男孩，我給他取名叫康和，希望他一生健康平安。

「只是到了一歲上，康和忽然患上急症，全身發黑，高燒不停，無法進食，而我的祝由術居然救他不得。我的師父當時已經仙逝，我去找其他同門三位師兄姐，他們也束手無策。其中一位師兄語重心長的告訴我，這孩子病得奇怪，他覺得是被人下了咒術，而且看那手法，很可能就是余襄搞的鬼……

『我聽師父說過，有一種可怕的咒術叫魘喪咒，那是用人的怨恨來下咒。余襄對你由愛轉恨，但是她的咒不是用在你身上，而是你兒子的身上，更加惡毒。』大師兄說。

『這咒如何可解？』我問。

『施此魘喪咒的人才有解法。』大師兄嘆一口氣說，『施魘喪咒的人自己也是深受其害，這咒術會讓施咒者全身精氣受損，入膚入血入骨啊！』」

劉燐說到這，大家都同時想到余襄駝背的樣子。

「余襄跟你同門時就駝背嗎？」紫珊問。

「沒有，她當時個頭兒小，長得端正漂亮。」他繼續說下去，「聽完大師兄的話，我想解鈴還需繫鈴人。儘管萬般不願，但是為了康和，我決定去找余襄。於是我帶著琬貞、康和去找師姐，我跟娘子一起下跪懇求師姐解除魔喪咒。

『師姐，求求您，您大人有大量，求您救救康和吧！』琬貞不斷的哀求她。

『誰是你師姐？我可擔當不起。我也沒什麼大量，這孩子叫康和是吧？他會生病，就是因為他爹的背叛積下惡業，要怪，就怪你夫婿吧！』師姐惡聲惡氣的說。

『的確，沒能接受師姐的情意，是我的福分不夠！但孩子是無辜的，請師姐手下留情，饒了我的孩兒。你要怎麼處罰我，我都無話可說。』我誠懇的求她。

『是嗎？』師姐說，『好，那我也做件好事，如果你要救你的孩子，就要聽我最後一件事。』

『什麼事？你說。』

『你的孩子跟你的娘子，只能有一個人活著，你自己選吧！』師姐冷冷的說，『看你是要孩子病死，還是要親手殺了你的娘子。』

『燐，你聽她的話，快救我們的孩子。』琬貞看著我，兩手抓著我的肩，『你一定要救我們的孩子。』

『不，你在胡說什麼？我們還年輕，孩子可以再生，我一定要跟你相伴一生，白頭偕老。』我堅持的說。

『燐，你不懂，』琬貞淒涼一笑，『我未出嫁前，有個算命先生告訴我，我命帶傷官，我的姻緣都撐不過五年。我問他，那我會有孩子嗎？他說，有，你第一個夫婿早死，但你會再嫁，也會有子嗣。不過你兒子在年幼時會經歷一場大劫，能不能順利長大，就看他的造化了……』

『江湖術士，胡說八道。』我斥責她，但也聽得一身冷汗，因為當時我們剛好成親五年了。

『你不要打斷我。是真的，我成親一年就守了寡，之後遇到你，我們也真的生了一個兒子，現在他又遇到這場劫難……不管任何方法，你一定要救他，讓他順利長大。』琬貞哭著說。

『不可能的，我是不會殺你的。』我堅定的說，『走，我們一起離開這裡。』

「但就在我抱著孩子轉過身，大步走向大門時，忽然聽到余襄啊的一聲，我轉頭看，我的娘子倒臥在地上，手中握著一把刀子，刀刃深深的沒入胸口。」

5

幾個人聽了劉燐妻子自戕都倒抽一口氣。

劉燐強忍著悲痛，繼續往下說：

「『救活孩子，這樣我就沒白死了，答應我……』琬貞眼睛睜得大大的看著我，等待我的答案。

「我咬緊牙關，看著她殷切的眼光，只能忍痛同意，但我一說完，她眼睛就閉上了。我的娘子死在我的懷裡，我痛聲大哭，孩子似乎也感受到親娘從此不在世上，大哭起來。他的哭聲提醒了我，我擦擦眼淚，努力打起精神。我看向余襄，這女人害死了娘子，我滿腔悲傷憤怒，可是以我的能力不僅殺不了她，我還要求她救康和，讓他順利長大，這樣才不會讓娘子枉死。

『想不到你的夫人性子這麼烈，說死就死。』佘襄用滿不在乎的口氣說。

『琬貞……她死了，你要遵守你的諾言，救我們的孩子。』我瞪著她說。

『好，我會讓他好好的活著。你先辦好喪事，再來找我。』她看了我們好一會才說。

「我把琬貞的後事盡快辦好，幾天後，帶著奄奄一息的康和再次前去祝由科找她。

『請救救康和吧！』我低聲下氣的說，內心其實非常的憤怒悲痛。

『把孩子給我。』佘襄伸出手。

「我沒有動，只是看著她。

『我一向說到做到，對不對？』她又說。

「我心想，她要害死孩子，早有上百個方法，不用等到今天，於是就把孩子遞給她。

「她一手抱著孩子，一手拿出一張符紙，我以為那是要來救孩子的，不過她把紙射出，讓它定在我跟她之間。

『你就站在那看著就好。』她說。我知道這道符咒並不強，也不是什麼危險的咒術，只是讓我一時無法靠近她。

「她走到一張桌子後面，我這才看到，桌上有一個橫躺的長方形木盒子。這盒子約有一尺多長，八寸高，五寸寬。她掀開了蓋子，立起來的蓋子讓我看不到裡面的東西。

「余襄再度拿出一張符紙，她嘴裡唸唸有詞，把那張紙定在盒子上方的空中。余襄用雙手捧著康和，讓他停留在盒子之上，符紙之下。

「接著，她繼續對著空中的符紙唸咒，只見符紙飛快的旋轉起來，然後在空中變成細細的黃色粉末，這些粉末包圍著康和。康和在這團黃粉中，膚色慢慢由黑轉褐，然後越來越淡，最後回到正常紅潤的顏色，緊閉的雙眼也睜了開，好奇的東張西望。

「余襄露出微笑，再度唸了一些咒語，這時，黃色的粉末從康和身上離開，變成一道金黃色的細沙，落入桌上的木盒中。

「余襄捧著孩兒，蓋上木盒蓋子，去掉阻隔在我們之間的符咒，才把康和抱來給我。

『你看他白白嫩嫩的，是不是很可愛啊？』余襄很滿意的說。

『多謝師姐保全小兒的性命。』我說，但是在心裡發誓，有一天，我要殺了這個女人。

『哪裡，他可是師弟永遠的寶貝啊。』她那可怕的笑容，我永遠都記得。

「我帶著康和，先去他娘的墳上告訴她，康和好好的活著，要她安心。然後我們出了城，打算兩個人找個地方好好過日子。」

劉燐停頓一下，小空在他懷裡居然睡著了。

他輕輕撫著猴子的毛，繼續說下去：

「我請了個奶娘照顧康和，自己努力修習祝由術，同時用祝由術幫人解決問題，賺取生活費用。一陣子之後，奶娘來告訴我一件事。

『我覺得康和這孩子有些問題。』奶娘說。

『他吃好睡好，臉色紅潤愛笑，不哭不鬧，我看不出有什麼不一樣。』我看著康和說。

『就是這樣，沒有變，一年過去了，怎麼每一件衣服都還可以穿，一點都沒有兩歲的樣子。』奶娘抱著康和左看右看的說。

「我這一年來忙著練祝由術，只要孩子沒有生病，不吵不鬧，有吃東西，我就安心了，卻沒想到他都沒有變化，這時候聽奶娘這一說，我才驚訝的發現，這孩子並沒長大。

「我心裡一沉，會不會余襄沒治好他，留下什麼病根？不，我猛然醒悟，余襄是故意的，她的確讓他活著，卻讓他沒辦法長大，永遠都是嬰兒模樣。

『你幫我照顧好康和，我去找大夫。』我簡單交代奶娘後，就隻身回到城裡，來到祝由科。

『師姐，是我，劉燐，我來探望你了。』我敲著門，沒多久大門打開，我吃了一驚。

「門後是余襄沒錯，但是她頂著駝背，腳步緩慢，看來，大師兄說的沒錯，施魔喪術的人自己的身體精氣也會受到損害，這更可以證明康和身體的異樣還是跟她有關。

『坐吧，一年不見，師弟看來神清氣爽。』余襄帶我進屋後說。

『師姐，我是來問你關於康和的事。』

『這孩子可好？現在應該白白胖胖，健健康康的吧？』余襄的笑容看起來惡毒狡猾。

『師姐，我就直說了，你不是承諾會治好他嗎？』

『我的確是治好了他，我不是讓他活下去了嗎？』

『他是活著，但是，康和這一年，都沒長大，一直是嬰孩模樣。』我說。

『我只答應救活他，其他可沒保證啊！』她臉上的表情真是讓人厭惡。

『請師姐遵守諾言，我的娘子已經死了，請你讓康和平安順利的長大！』我耐著性子說。

『哼，當初我的條件是要你親手殺了她，我才救你的孩子。既然你下不了手，是她自己了斷，那就怪不得我救人救一半！』如今她臉上的假笑都沒了，只剩下陰險的嘴臉。

『師姐，你不能言而無信，你這樣做有違師父當年的教誨，你……』

『我本來以為一年不見，你會想起我的好，跟我重修舊好，沒想到，你一來，只是來教訓我，有求於我。自己沒本事養大孩子，還來怪我？當年背叛婚約的人是你，輪不到你提起師父的教誨。』

「你們聽，她說來說去，就還是記著當年她強迫我定下婚約，我不肯履行的事。我不願再提舊事，便跟她說：

『是，我是沒有魘喪術的本事，但是我這幾年在咒術上的修為已經不似當年，如果我們正式比試，誰輸誰贏還很難說。』

『哼，你的本事有多少，我能不知道嗎？還敢跟我比。』她輕蔑的說。

『師姐的資質高於常人又努力不懈，當然咒術高強，但我這幾年也沒鬆懈，我想，應該有資格跟師姐過招的。』我說。

『好啊，那我們就來比試一下，看誰咒術高強。師父不在了，當師姐的一定要好好指導一下師弟。』她說，語氣高傲得不得了。

『多謝師姐，願意教誨不才師弟。』我說。

「我聽出她不想真心救孩子，我又不會魘喪術，所以想出這個比試的方式，想不到她答應了。

『要怎麼比？』她問。

『這樣好了，三戰兩勝，不可以用魘喪術，要用師父教我們的咒術。為了不傷同門和氣，比試中不可以傷人，先由我開始，我選一樣事物藏起來，如果你找到了，那就是你贏。第二回合也是，你選一樣事物，我找到的話，就是我贏。如果前兩個比試沒分出勝負的話，再想第三個比試。』我說。

『好，就這樣。』她倒是乾脆同意了。

「我當時正幫吳家古董店處理曾姬壺的事情，我心生一計，用咒術拿走其中一尊曾姬壺，把它藏在我跟琬貞成親時住的房子，用一道道的符紙保護好。余襄查找許多地方，一度去到那房子，但是她沒能突破我的咒術，最後沒有找著，承認輸了這場。

「比試來到第二回合，她告訴我，她會帶走一個準備婚嫁的女子，如果我能找到她，然後讓她完成婚禮，那我就贏了。」

「她提出的要求也太奇怪、太沒道理了。」宗元皺著眉頭說。其實他覺得這兩個祝由師都很怪異、不合常理。

「那就是余襄，你聽我說的這些事，有哪一件是有道理的？從頭到尾就是霸道不講道理。」劉燐瞪了他一眼，「城裡每天要出嫁的人不少，我費了一番功夫，打聽到一個叫鄭馨的女子，在出嫁前曾經出現在余襄的祝由科裡，我確定就是她。我也打聽到她哪天要出嫁。當天我躲在一旁，看著她上轎，打算一路跟蹤，等余襄出面要帶走她時，我就出手搶人。只是沒想到，我聽她跟丫鬟對話，以為她都在轎子裡，就一路跟蹤到雷家大門，誰知她早就不見蹤影了。

「本來我想，一個活人不像曾姬壺那麼好藏，她肯定就躲在余襄那，我只要把她找出來，帶她回去成親就行了。沒想到第二天晚上，余襄就把雷進山給殺了。這樣就算我找到鄭馨，也無法讓她完成婚禮。第二回合是我輸了。這就是她不講道理的地方，用這種卑鄙的手段讓我沒有半點機會。」

「為了贏而殺人，這何止不講理，根本就是走火入魔。」紫珊說。其他人也是覺得一路聽下來，這女人真是離譜到極點。

劉燐點點頭，很滿意大家的同理心，「我跟她說這樣的比試有失公允，因此，第三回合，我們改了規矩，我們一起選了一樣事物，誰先拿到裡面的力量就算贏。」

「玉琮。」亞靖說。

「對，就是玉琮。」劉燐說，「這個玉琮是師父留下來的寶物。幾千年前，巫師們在上面作法，用來向天神祈福，上面有滿滿的咒語。師父在去世前，把這件玉器送進宮裡，他說這件玉器的力量太過強大，很可惜他的五個徒弟資質雖好，卻都沒有駕馭玉琮的特質，所以他並沒有留給我們任何一人。師父說，在一般人的手裡這就是一件古玉器，不會有任何危險，『但學祝由之人欲持之，若無駕馭能力者，則自傷而死，切記。』所以我們都知道玉琮在哪，卻不敢輕易去拿。所以第三回合的比試特別凶險，我跟余襄都想先拿到玉琮的力量，但都很小心要怎麼處理。」

「所以余襄才會要我去拿。你也是在我拿到後來搶，想從我身上不勞而獲。」紫珊冷哼一聲。

劉燐看了她一眼，臉上完全沒有羞愧的表情，「要得到想要的東西，要用腦子。」

「那你為什麼要誘拐別人的小孩？」凌兒問。

「姑娘言重了。康和身染怪病，我用咒術多方研究，始終無法參透魘喪術的邪氣，但是可以知道，康和少了一部分的精氣，所以雖是活著，卻無法長大。因此我到處尋找不同年紀的男孩，這些男孩活潑健康，我只稍取他們身上的精氣，不會有生命危險，無需大驚小怪。」

「大驚小怪？街上擄人，還說大驚小怪？如果康和被不認識的人帶走，你也會說不要大驚小怪？」宗元生氣的說。

「你先把那些孩子們放了。」紫珊說，雖然心中覺得這要求對這種人來說只是耳邊風。

「是，姑娘說的是，我沒有要取他們性命的意思，當然馬上放他們離開。」劉燐回答得爽快，大家倒是沒料到。

「還有我爹呢？」凌兒焦急的問。

「你爹跟我的手下有衝突，我暫時留下他是希望安撫老人家，讓他安心養傷，絕無惡意，他當然也可以離開。」劉燐大方的說。

「好，我們要看著你讓孩子們和凌兒的爹平安出現。」紫珊說。

「先不急，你們不想知道為什麼我請曄廷過來？我又是怎麼從地洞回到這裡的？」劉燐說。

「這件事跟曄廷有什麼關係？你幹麼抓他？」宗元不滿的問。

「小兄弟誤會了。我只是請他過來商量一些事，怎麼能說抓呢？他現在不是好好的跟你們走了嗎？」劉燐用一貫扭曲事件的口氣說。

他們一齊瞪著他，劉燐過了會才好整以暇的說：「我請了幾個孩子過來，借了他們身上的精氣，可是還是杯水車薪，效果並不明顯。這時，我聽到一個消息，這裡有人可以進出畫境。對，我知道自己是在一個畫境裡，這裡所有人都是在一幅畫裡，這就是我們的世界。

「我聽說，畫仙是掌管畫境的人，而曄廷可以在畫作間穿梭，也懂得跟畫仙溝通，所以我就請他來，希望他能幫我找到畫仙。我想請畫仙來救救我的孩子，畢竟我跟余襄的比試，要贏並不容易，就算我真贏了，她那個人能信嗎？我必須要找好後路。」

「曄廷不會帶你去找畫仙的。畫仙能不能來這裡看你的孩子，也不是曄廷可以決定的。」紫珊堅決的說。

劉燐不理會她，繼續說下去，「我請曄廷來這裡小坐，不過他這人顧忌多，需要時間考慮。我想，這裡環境不好，所以在金明池下找個幽靜的地方讓他休息。」

聽到這，每個人都在心裡翻白眼。

「我用咒術讓余襄知道我找到曄廷，想讓她知難而退，不要繼續跟我爭鬥了。她卻冥頑不靈，堅持要拿到玉琮上的力量，還派你們去幫她拿，還好我適時出現，阻止你們把這個力量給了她。不過我也因此被迫去到她的祝由科。

「她看我壞了她的好事，不顧約定跟我打了起來，在一片混亂中，我想快點擺脫她才是上策，所以用咒術想要躲進先前安排曄廷休息的地方，沒想到她死纏不放，抓住了我，兩人就一起跌進去了。我們倆的咒術相當，各有所長，同時朝對方施咒，結果兩個人都被定住，成了你們看到的僵局。

「我們努力運氣，試圖恢復行動。余襄先恢復精氣，她做的第一件事就是讓地道崩塌，想讓你們都死在落石下，這樣曄廷就不能幫我了。只是她剛恢復，咒術還沒辦法完全施展，過程中險些讓我們倆也葬身地洞。還好當時我恢復精氣，可以行動了，便用最後一點力量施展咒術，帶著余襄離開，回到祝由科。我看她精疲力盡，就讓她好好休息，獨自回來這裡。今天看到你們平安出現，逃過地洞的死劫，真是覺得萬分慶幸啊！」劉燐口氣真誠。

「不知道的人聽了你的話，還以為你真的在關心我們呢。」宗元冷冷的說。

劉燐像是聽不懂宗元的諷刺般並沒有回應，又往下說下去，「我兒子現在也在這間屋子，我請奶媽抱他出來讓你們看看如何？或許你們會相信我說他已經兩歲了，卻還只有一歲的樣子。」

紫珊打斷他，「不用了，你先把其他的孩子們放出來，還有把淩兒的爹爹帶來。」

「他們都平安無事，真的不用擔心，你們難道不想知道余襄接下來的計畫嗎？我聽她說……」

紫珊忽然領悟到一件事，劉燐這樣耐心的告訴他們來龍去脈，滔滔不絕的說著兩人之間的糾葛，絕對不是想要跟他們推心置腹！不管他的用意為何，不讓他說下去，逼他把人放出來才是重點。

紫珊對著凌兒胸口上的玉墜一揮，朱雀飛了出來，她迅速再一揮手，朱雀朝著劉燐而去。

劉燐臉色一變，他把小空舉起，用手緊緊掐住牠的脖子。小空無法掙脫，發出痛苦的悶號聲。

朱雀在他頭上徘徊，不敢進攻。

「你放開小空！」凌兒氣得大喊。

原來劉燐跟余襄相鬥，兩人都耗盡精力，需要一段時間才能恢復。劉燐在他們進來時，用盡好不容易聚起的力量對付他們，可是還是被三人破解，他剩下的氣力只夠坐在地上，引小猴子過來。

他知道這些人有正義感，不會白白讓小猴子犧牲，以此要脅他們坐下。表面上他是在講述他與余襄的恩怨糾葛，事實上，他一邊講，一邊聚集精氣。所以中間他們有要求、有諷刺、有回嘴，他都不理會，也不花力氣爭辯，而是一直講下去，為的就是給自己爭取恢復的時間。

劉燐把小空舉在他的身前，緩緩站起來，每個人都很緊張的盯著他。

「我要去休息了，你們可以離開了。」劉燐用很溫柔的口氣說。

凌兒雙眼直盯著小空，忽然大聲喊著，「小空轉轉圈，去！」

這是小空跟凌兒的爹爹一起耍的雜技之一。

有時候是爹爹緊抓著小空，有時候爹爹會選一個觀眾讓他抓著小空，然後爹爹喊著：「小空轉轉圈，去！」小空聽到指令，就會瞬間掙脫，然後出現在凌兒的肩膀上。

這次也是一樣，小空聽到熟悉的指令，機警的牠馬上照做。

劉燐感到手一鬆，抬眼看，小猴已經爬到凌兒的肩上。

紫珊連忙對著朱雀施法，讓朱雀朝著劉燐攻去。

劉燐反應也快，剛才花時間說這麼一大番話不是白費工夫，他體內聚集不少精氣，要打贏三人雖不可能，但是設法脫身還是難不倒他。

只見一陣煙霧升起，紫珊、宗元、亞靖三人朝他抓去，卻還是抓了個空，他在眾人面前消失無蹤。

「他去哪了？」凌兒看著四周問。

「我們去後面找找看，說不定小孩們跟你爹也在這。」宗元說。

四人一猴往屋後走去，但是不見人影。後面有一個大房間，地上留下很多垃圾和吃剩的食物、繩子等，看來是劉燐他們關人的地方。劉燐在前面「說書」時，剛好讓他的手下把人都帶走。

這時，小空忽然跳出凌兒的懷裡，到處嗅聞，蹦蹦跳跳的，接著牠從角落翻找出一片灰藍色的碎布，然後拿到凌兒的面前。

凌兒接過來，看了看，「這是我爹常穿的那件灰袍。」

「我們一定要救他們。」紫珊說。

「現在怎麼辦？」凌兒問。

「你先跟我們回小依家好了。」宗元說。

6

成衣店裡，儀萱照看著暫時失去法力的曄廷。

「你覺得怎樣？」儀萱問。

「精神不錯，不過法力還是被限制住。」曄廷無奈的說。

「我們去找畫仙！」儀萱建議。

「可是沒有法力，我也無法到其他畫裡。」曄廷說。

「我們再想想辦法。」儀萱說，「我再幫你運氣。」

「先等一下，我想做一件事。」曄廷說。

「什麼事？」

「你們透過那張暗紅色的符紙進入地道找我，紫珊說那張符紙還在祝由科，我在想應該要去一趟，把符紙拿走。」曄廷說。

「為什麼？對一般人來說，那只是一張普通的紙。」儀萱說。

「對，我們昨天討論過。可是我又想，說不定這裡不止劉燐跟余襄會祝由術，若是還有別人，不小心拿到的話會有危險的。」曄廷說。

「你想太多了，誰會沒事闖進別人家，又剛好就是祝由師？這樣的機會小之又小，你也操心太多了。」儀萱說。

「不只這樣，我覺得祝由術在這幅畫裡的力量很大，這件事很不尋常。等我的法力恢復後，我要把在這裡發生的事告訴畫仙，如果可以拿到一張符紙，也能讓她更清楚這個力量，而且說不定這符紙也能幫我恢復法力。」曄廷說。

「嗯，你這樣講也有道理。」儀萱點點頭。

「走，我們去祝由科一趟。」曄廷站起來。

「你法力還沒恢復，我去就好。」儀萱說。

「那兩人被困在地洞裡，不會有事，我們只是去拿一下符紙。」曄廷說。

「你不是才說可能還有別人會祝由術嗎？」儀萱翻個白眼，「你沒有法力，遇到這些人，我還要保護你，太麻煩了。我只是去拿一下符紙就回來。」

「好吧！那你小心。」曄廷說。

儀萱做出一個ＯＫ的手勢。

儀萱離開成衣店來到祝由科，此時門是鎖著的，她敲敲門，果然沒有回應。她稍微施法，讓在附近走動的人都離開後，翻牆來到院子。

她走向前廳，這裡的門倒是一推就開。她打開門，赫然發現余襄就坐在地上，雙眼緊閉，面容憔悴慘白。讓她更驚訝的是，余襄身旁站著一個人，是鄭馨。

「我剛才有敲門，你們……」儀萱覺得挺尷尬的，主人當場發現她闖空門。

「沒事，我們知道是你。」鄭馨微微一笑。

「我以為你們全都被落石砸死，活埋在地洞裡了。你來這裡做什麼？」余襄問。儘管語氣虛弱，但是一樣陰森冰冷。

儀萱琢磨著，若直說以為她死了，所以要來拿劉燐的符紙有點奇怪，不過最後還是決定說實話，「我想看看那張暗紅色的符紙還在不在。」

「你要那張紙做什麼？劉燐派你來的嗎？」余襄口氣充滿憤怒跟警戒。

「當然不是，你跟他有什麼恩怨情仇跟我們無關。」儀萱說，「他帶走我的朋友，還讓他無法施展法力，我不會替他做事的。」

余襄還想再說什麼，鄭馨阻止了她，「師父，多說話無益修習。」

她語氣溫柔，卻讓余襄穩定下來。

「你怎麼會在這？你不是去洛陽了嗎？」儀萱問。

「我拜師那天時，師父說，她可以用符咒讓我逃離那門親事，但有一天當她有難的時候，我也要幫她。我想，師父幫我一次，我幫她一次，這也算合理，所以就答應了。師父下了一道符咒在我身體裡，只要她有需要，發動咒術，那我就會無條件幫她。」鄭馨說。她的態度看起來是自願的，沒有被強迫的無奈。

「所以你是來還債。」儀萱說。

「算是吧，」鄭馨淺淺一笑，並不在意，「我當時走在路上要去買東西，忽然感覺身體一緊，然後一瞬間就出現在地道。我並不知道發生什麼事，只看到地道在晃動，到處都是落石，而師父和師叔兩人受傷頗重，難以應付。當時師父要我殺了師叔否則後患無窮，但是我不想同門相殘，那對祝由術的修習有害。所以我跟師叔說我不會趁人之危，只要他教我離開的方法，我便帶他們一起離開。師叔給了我另一張符咒，我把兩人帶離地洞，回到祝由科。」

「那劉燐呢？」儀萱問。

「師叔一回來就離開了，並沒有說要去哪。」鄭馨說，「而我留在這裡守著師父，幫助她養傷。」

「她沒事吧？」儀萱問。

「她的精氣受損，不過可以修復。」她看著儀萱，「我想請你幫忙，我雖會祝由術，但畢竟功力尚淺，一時半刻無法讓師父復原。」

儀萱想到宗元曾經告訴她，他跟亞靖幫余襄恢復精氣的經過，看來他們五人的法力跟祝由術有相通之處，可以互相幫忙。「好，我可以幫忙，但是等她好了之後，她也要幫曄廷。」

「曄廷怎麼了？」鄭馨問。

「他的法力被劉燐的咒術束縛住了。」儀萱說。

鄭馨轉頭看著余襄，「師父，你可以解除師叔的咒術嗎？」

余襄點點頭，「劉燐這個咒術並不難解，我們幾個師兄妹都學過。」

「那太好了。如果儀萱幫你修習，等你恢復之後，也可以幫曄廷嗎？」

雖然是詢問，但是口氣有種不容商量的堅持。

余襄點點頭，「可以。」

「好，我幫你。」儀萱放下心。她感覺有鄭馨在，事情會順利許多。

「這次師父受傷很重，但是有你的法力相助，很快就會恢復的。」鄭馨說完扶著余襄站起來，「我們到後面去。」

儀萱跟著她們來到後面一個房間，這裡比前廳還大，地上排滿了蠟燭。這些蠟燭被擺成正方形矩陣，儀萱數了一下，一邊各八支，一共六十四支蠟燭。

鄭馨帶著余襄走到蠟燭矩陣前讓她坐下。余襄後面的牆上有一幅畫，畫中有一名老者，留著白色長鬍鬚，臉色慈祥，他一手拿著一根木杖，另一手中指與拇指捏著一張符紙。

「那是我師父的師父。」鄭馨看到儀萱在觀察那幅畫後說。

「我們開始吧！」鄭馨手一揮，六十四支蠟燭同時點燃。余襄點點頭，從懷裡掏出一張符紙遞給鄭馨，接著又拿出另一張符紙，嘴裡唸著咒語，手一揚，把兩張符紙送到蠟燭上方，只見符紙化成細細的粉末，像細雪一般一一落在燭火上。火焰馬上燃起六十四道綠色輕煙。

「你幫我把這些煙送到師父的面前。」鄭馨說。

儀萱點點頭，手中運氣，照著她的方式，把力量送到裊裊的煙霧上。

六十四道輕煙匯集成一道綠色的濃煙，傳送到余襄面前，這股煙整個散開，將余襄籠罩其中。

過了好一會，她的臉色從蒼白慢慢的轉為紅潤，她重重呼出一口氣，張開眼睛，眼神銳利的看著儀萱問：「你有學過祝由術？」

儀萱搖搖頭，「沒有，不過我曾從先人那學會巫術，祝由術與巫術同源，有些力量可以相通。」

余襄沉思了一會說：「或許你可以再幫我一次。」

「幫什麼？」儀萱問。

「我身上有一些不好的東西，你應該可以幫我去掉。」余襄說。

「什麼樣的東西？」儀萱好奇的問。

余襄拿出一張符紙，手一揚，符紙向後飛去，直直落在她突出的背上。

她不會想要我幫她治療她的駝背吧？儀萱暗想。她不覺得自己的法力或巫術可以幫人整骨。

余襄背上的衣服裂出一條縫。儀萱轉頭看鄭馨，後者的表情帶著訝異，看來她也不知道她師父在做什麼。

只見裂縫變成一個開口，露出一個質地光滑潔白、形狀凹凸的事物一角。

余襄的手再一揮，口中唸著咒語，那件事物破衣而出，白影一閃，落到她們的面前，余襄用手接住。

「這是一個瓷枕，原來你的背……」

儀萱也看到了。余襄手中是一個嬰兒造型的瓷枕，瓷枕發出乳白色的光芒，嬰兒趴在一個臺子上，臉上露出天真無邪的笑容，而余襄此時背部挺直，一點也沒有駝背的樣子。

「你為什麼要把瓷枕塞在身後，裝出駝背的樣子？」儀萱問。

余襄手捧著嬰兒枕說：「這是我爹留給我的，定窯的白瓷舉世聞名，我夜夜枕著它入睡，一天，它在我的睡夢中告訴我，它不要我繼續枕著它了，它有自己的力量，要連在我身上，用我的血氣修習，有一天成為真的嬰孩。它不要再當一個沒血沒肉的瓷器。我醒來之後驚訝的發現，瓷枕真的黏在我的背上，即使我站起身，它也緊緊的依附著我。我穿起長衣雖然可以掩蓋住，但是看起來就像駝背的樣子。」

儀萱跟鄭馨驚訝的看著余襄，原來她的駝背是因為有個瓷枕黏在背上！這是什麼奇怪的咒術啊！

「你不能像現在這樣把它拿下來嗎？」儀萱問。

「可以的，但是……」余襄不再說下去。

「但是什麼？」鄭馨才剛說完，一陣刺耳的尖叫聲從瓷枕傳來。

「啊——啊——」

一聲比一聲尖銳淒厲，安詳可愛的白色嬰兒瓷枕現在呈現通紅的血色，恐怖的尖叫聲搭配它的笑容，格外的突兀詭異。

「啊——啊——啊啊啊——」

鄭馨修習祝由術不久，功力尚淺，她兩手摀著耳朵，還是不住的乾嘔發抖。

儀萱聽得心煩意躁，努力運氣施法，才不至於讓自己也失去控制。

余襄捧著瓷枕的手一揚，瓷枕越過她的頭頂，端正回到她的背上，四周也跟著恢復寧靜。鄭馨全身發軟的坐在地上。儀萱鬆一口氣，但也覺得氣血窒礙，呼吸運氣好一會才恢復。她過去握住鄭馨的手，傳送一些力量，讓她也舒服一點。

「我希望你能幫我拿掉這個瓷枕。」余襄說。

儀萱呼一口氣，看來她猜對了一半，余襄的確要她幫忙醫好駝背，但不是普通的整骨治療。

「我不能保證什麼，不過我願意試試看。」儀萱說，她也好奇自己的功力到哪。

儀萱讓余襄再度坐下，自己來到她的身後也坐下，仔細看著背上的瓷枕，此時它又恢復原本寧靜可愛的樣子。

她朝余襄的後背伸出右手，按向瓷枕，手中傳來一股溫暖的力量，但其中又交雜著一股陰狠的力量。接著儀萱緩緩的把自己的力量輸入，她不知道瓷枕的反應，不敢太過躁進，她讓自己的巫術跟法力緩慢穩定的跟瓷枕的力量融合。

儀萱驚訝的發現，這個瓷枕裡面的力量來自一個孩子，而且是嬰孩。這實在太奇怪了！

「控制瓷枕的力量，好像來自一個嬰兒？一個瓷器怎麼會有真的嬰兒的精氣？」儀萱問。

余襄緊閉著嘴，並沒有回答。

「師父，這到底怎麼回事？」鄭馨問，「你想要儀萱幫忙，那你要講出原委啊！」

余襄還是沒有出聲。

「她不說，那是因為她心中有愧。」一個聲音響起，劉燐就這樣出現在屋子裡，手裡還抱著一個事物。

「敢問師叔來此用意？在地洞時，我們說好互不再犯的。」鄭馨臉色緊張。

「師姪放心。我帶著孩兒來，自然不是來挑起戰火的。」劉燐說，他的手臂微微一傾，這時兩人才注意到，他手裡用布包裹的東西是一個嬰孩。

余襄臉上神情更是僵硬緊繃，好像她剛剛被迫吞下一隻蜘蛛。

「那你來做什麼？」儀萱不客氣的問。

「我是來是替我孩兒討個公道的。」劉燐指著余襄，「原來你把康和的精氣鎖在這個瓷枕中，害他不能順利長大，我……」他的話還沒說完，鄭馨一聲低呼。

「儀萱，你的朋友們也來了。」鄭馨說。

儀萱點點頭，想來她到這裡有一段時間了，其他人應該是擔心她的安危過來找她。

「我在這裡。」儀萱運氣把聲音傳到前廳，讓他們都聽見。

沒多久，宗元、紫珊、亞靖先衝了進來，後面跟著曄廷和凌兒，凌兒肩上蹲著一隻小猴。

「儀萱你沒事吧？」宗元看到儀萱，緊張的問。

「沒事，我來這裡後遇到鄭馨……」儀萱把經過說給大家聽。其他人的眼光都被余襄背上的嬰兒瓷枕吸引。沒想到她的駝背原來不是殘疾，是有東西在裡面，嬰兒的笑容讓大家毛骨悚然。

「既然大家都到了，那就把話說清楚。」劉燐眼光掃過每個人，「余襄加害我兒康和，對他施魘喪咒讓他無法正常長大，其心腸惡毒無比。我之前邀請疇廷，也是希望他能幫我找到畫仙，醫治我家孩兒。現在我終於知道，原來康和的精氣被她禁錮在這個嬰兒枕上，所以他才受盡苦頭，不能順利長大，這都是她因一己之私造下的惡果！」

「哼，你講得冠冕堂皇，當初你背叛婚約，背棄誓言，這些你怎麼不提？是，我是懷著恨意，不能原諒你。可是我們定了比試，你卻使手段。在第一回合的比試中，你要我去找曾姬壺，可是卻加害雷家的孩子，對他施咒術，將那孩子的精氣用在自己的孩子身上，然後把雷家孩子指引到這裡，讓我救治，害我在救治的過程中損傷了精氣，也因此沒能找到曾姬壺，輸了這回合！」余襄說。

「你在第二回合比試中，定下要我找到鄭馨，讓她順利出嫁的規則，結果你卻直接殺了雷進山，讓我輸了比試，這手段殘忍又卑鄙！」劉燐不甘示弱的說。

「是你先在比試中做手腳的。」余襄咬牙切齒的說。

「你忘了嗎？是你對康和下了魘喪術，我們才有後來的比試。」劉燐冷冷的說。

「是你先背叛我們的誓言的！你忘了我是怎麼教導你的。」余襄眼睛睜大，臉色猙獰。

「你明明仗著師姐的身分對我百般刁難，不留情面！」

兩人一來一往，互相指責，互揭瘡疤。其他人在一旁看著只覺得這兩人都有錯，都是站在自己的角度看事情，用自己的立場來評斷對方。余襄和劉燐各有讓人同情的地方，但也都做下讓人難以原諒的事。

看來不管古代還是現代，人類的自私，一直都是爭端的來源。

「師父，師叔，你們這樣吵下去，對事情沒有幫助。」鄭馨提高聲音說，兩人終於停止爭執。

她本來覺得自己一介後輩，沒有立場說話，但是這兩人似乎只會怨懟，沒有面對、解決問題的能力，忍不住出聲。

「過去的恩怨，既然一時三刻也說不清，何不暫且放下，先看近事。」鄭馨看師父師叔沒有反駁，便繼續說下去，「師叔孩兒的精氣被鎖在嬰兒瓷枕中，孩兒無法順利長大。師父則是被嬰兒瓷枕的力量控制，也深受其害。所以，我們可以先從這點下手。」

「我剛才試探嬰兒瓷枕上的力量，」儀萱說，「這東西是她家祖傳的古物，自有它的力量。這力量原本並不邪惡，現在會這樣，是因為余襄竊取劉燐孩兒的精氣，把它鎖在裡面，再加上她的怨念，才讓這個瓷枕轉變心性，吸附在她的背上，反過來箝制她。」

「師父，你把師叔孩兒的精氣釋放出來吧！這樣孩子可以正常長大，你也不會再受背負瓷枕之苦。」鄭馨勸說。

余襄深吸一口氣，緩緩開口，「一開始我充滿怨氣，對孩子下了魔喪咒，想讓他身受折磨，但我並不想害死他，我不想劉燐恨我，我只是想懲罰他，讓他也不好受。後來劉燐跟他的妻子來找我，求我救救他們的孩子。我本來打算救那孩兒，讓他感激我，但是看到他們一家三口出現，我嚥不下那口氣，決定嚇嚇他們，所以我要劉燐把他的妻子殺了。

「我當然不是認真的，但沒想到，那女人居然自戕，當場死在我們的面前。我知道，這樣一來，我跟劉燐的情分完全沒了。那女人雖非死在我手上，但對劉燐來說，他的妻子是因我而死，他是不可能原諒我的。

「所以當他把孩子送到我面前，求我救治時，我心生一計。我的確用咒術把孩子治好了，但同時，我也收下孩子的精氣，這樣他就一定會再來找我。那個女人已死，說不定他會再度想起我的好，回到我身邊……」

她講得幽怨深情，但是內容讓每個人都覺得余襄一廂情願，道德邏輯怪異。

余襄嘆一口氣繼續說：「只是，我施下的咒術越來越失去控制，我不是不肯幫劉燐的孩子恢復正常，而是這個瓷枕裡的嬰孩精氣，已經有自己的個性和力量，不是我可以控制，這樣的精氣回到孩子身上，會對他造成很大的傷害。」

「哼，我才不信，你不過是想繼續控制我，看康和受苦，看我受苦。」劉燐恨恨的說。

余襄不再說話，她先拿出兩張小符紙，在手中捏成彈珠大小，對著鄭馨射去，鄭馨知道她的用意，接到後把符紙塞進耳朵裡。然後余襄再拿出一張符紙，像之前那樣，對背上的瓷枕施咒，瓷枕飛離開她的背，落在她的手裡。

「施法保護自己。」儀萱知道會發生什麼事，低聲警告其他人。她知道曄廷的法力還沒恢復，走到他身邊，握住他的手。

果然沒多久，白色的瓷器轉成紅色，而且還發出恐怖噁心的尖叫聲。

7

「啊——啊——」

在場每個人都臉色一變，連劉燐也忍不住身體一晃，趕忙施咒保護自己。他進到屋子時，余襄已經把瓷枕收起來，他這時才真的見識到威力。

「啊——啊——啊——」

淒厲的尖叫聲懾人心魂，大家都很不舒服。鄭馨有符紙的保護，不像剛才那麼難受，但是還是臉色蒼白。

儀萱一手拉著曄廷，一手伸出按向瓷枕。

她身上土氣的力量跟瓷器相呼應，她緩緩運氣，感受到裡面嬰兒充滿怒意，她傳入自己的法力再度跟嬰兒「溝通」，用溫暖堅定的力量去接受它的憤怒。

恐怖的尖叫聲慢慢轉弱，終於停止。

「儀萱，你制伏它了。」宗元喊道。

儀萱抿著嘴，搖搖頭，「我暫時讓它穩定了一些，它的力量雖然不是特別強大，但是被迫離開自己軀體的怨懟之氣，加上余襄的妒恨餵養，所以變得難以化解。」

「那怎麼辦？」亞靖問。

「我需要你們的幫忙，這得靠正向的力量才能化解。」儀萱說，接著轉向余襄，「麻煩你先解開曄廷身上的咒術，讓他恢復法力。」

「我來吧，」劉燐卻說，「他身上的咒術是我施的，我來解開。」

他看大家帶著懷疑的眼光，又補充道：「我希望你們可以幫康和，所以不會害你們的。」

「好，我信你。」曄廷肯定的說。

劉燐拿出一張符紙，嘴裡唸唸有詞，符紙對著曄廷飛去，在空中化成細細黃色粉末，劉燐手再一揮，粉末包圍著曄廷，沒多久，粉末融入他的皮膚，消失無蹤。

「你覺得怎樣？」儀萱關心的問。

曄廷呼吸運氣幾次，覺得全身沒有窒礙，點點頭說：「沒事了。」

「太好了！」其他四人都很開心。

但歡快的氣氛沒有持續多久，尖叫聲再次響起。

「啊——啊——啊——」

令人毛骨悚然。

五個人圍著瓷枕，嬰兒微笑的臉對著他們，顯得詭異驚悚。

「運氣的時候要輕緩，不要急，它的力量不大，但是焦躁衝撞，你們跟著我一起引導。」儀萱說。

「就跟小孩一樣。」宗元翻個白眼說。

「是小孩沒錯啊。」紫珊微微一笑。

「來吧！」曄廷說。

儀萱伸出右手，按住嬰兒瓷枕的頭上，其他四人也把手按在嬰兒的背上。

五人聯手一起施法運氣，金、木、水、火四種氣依循著儀萱的土氣傳入瓷枕。他們都感受到儀萱說的，那個孩子以憤怒暴躁的力量回應著他們。

五行之氣的力量龐大，他們又誠心的想幫康和，讓他的精氣不再受苦，充滿正氣的法力跟嬰兒的力量融合，安撫他的暴躁，引導他的力量。

一段時間後，每個人都可以聽到，尖叫聲越來越低，變成嚶嚶的叫聲，瓷枕上血紅的顏色也越來越淡，成了一抹輕紅。

儀萱抬頭看著余襄跟劉燐說：「康和本是無邪的嬰兒，因為你們兩個爭鬥和惡念，讓他的精氣受困在瓷枕中。現在我們已經控制住了，但是要把他的精氣從瓷枕中釋放出來還需要你們的咒術，你們可以不計前嫌，一起合作嗎？」

兩人對望一眼。

「為了康和，我什麼都願意做。」劉燐說。

余襄則只是說聲「好」，沒再表示什麼。

鄭馨把耳朵裡的符紙拿出來，微笑的點點頭。

「好，那你們也用咒術的力量，一個讓他的精氣從瓷枕中出來，一個讓他回到嬰兒的身體裡。」儀萱說。

余襄從懷裡拿出大約信封大小的黃色符紙，嘴裡唸著咒語，同時射出符紙，讓它停在瓷枕的上方。儀萱對四人點頭，五人同時撤出法力，剩下的讓祝由師處理。

余襄嘴裡咒語不斷，黃色符紙在空中燒了起來，火焰燃起又消失，留下一縷黃煙。

黃煙在空中舞動，像緞帶一般，對著瓷枕密密纏繞起來。

只見瓷枕裡微弱的紅色光芒，慢慢變成粉嫩膚色，黃煙推擠著粉嫩膚色的光芒，可是似乎遇到阻礙，並無法順利讓這光芒離開瓷枕。

「我之前使用魘喪咒，對自己的身體傷害極大，現在咒術能力減弱很多，力有未逮，唉……」余襄口氣帶著悔意。

「讓我幫你。」劉燐拿出一張暗紅色符紙。

「不行，」余襄搖搖頭，「當初是我把康和的精氣鎖入瓷枕中的，所以一定要由我把他的精氣釋放出來。」

「沒有其他的辦法了嗎？」劉燐黯然的問。

「除非師父再世。」余襄說。

鄭馨看著牆上的畫像，忍不住喃喃說道：「師祖啊，你顯顯靈吧！」

曄廷隨著她的眼光看到畫像，心裡一動，「這幅畫裡是你師父的師父？」

「是的。」鄭馨說。

「他的畫像是誰畫的？」他又問。

「師父自己畫的，」余襄回答，「師父多才，除了咒術，琴棋書畫樣樣精通。他畫完這幅畫像後非常得意，還說把自己的力量都畫進去了，讓我好好收藏，對我日後修習大有幫助。」

曄廷點點頭，想了想說：「我來試試看。」

他看著畫中老者，神情專注，過了一會運氣施法，手中劍出現。

曄廷把法力貫徹到手上，舞出幾個劍招，然後持劍往前對著畫中老者的手上一刺。

余襄和劉燐大驚，完全沒料到曄廷的行動，擔心他破壞了師父的自畫像，兩人同時出手，黃紅兩張符紙對著曄廷射去。

「住手！」兩人異口同聲喊道。

儀萱在一旁一直關注曄廷的動作，雖不知道他的用意，但是當兩張符紙出現時，她也馬上出手，阻擋了攻擊。

只見畫作無恙，沒有破損，但是畫中老者手上的符紙，卻出現在曄廷的劍尖上。

「師父的符紙！」劉燐低聲道。

「這是怎麼回事？」余襄不敢相信的看著他。

其他人則是驚訝又敬佩。

「我可以進出畫境，本來我也想進去你們師父的畫，問他能不能幫忙？不過他的咒術高強，不肯讓我進去，但是他告訴我，我可以用法力取得他手中的符紙，這符紙可以幫上忙。」曄廷解釋。

他的手一使力，劍尖上的符紙飛了出去，余襄接了過去。

「真的是師父的力量！」余襄手握著符紙，語氣激動。

「師父一定也是希望可以好好解決這件事。」劉燐說。

余襄點點頭。她收斂心緒，把師父的符紙也送到瓷枕上方，她嘴裡唸著更多的咒語，符紙燃燒起來，化成一道白煙。

這道白煙跟黃煙一樣，密密的包圍著嬰兒瓷枕，白煙跟黃煙交纏，同時使力，瓷枕中粉嫩膚色光芒開始蠕動，慢慢的朝嬰兒的頭部移去，最後來到頭頂，形成彈珠大小，水滴形狀的東西。

白煙跟黃煙圍繞著膚色的水滴，用力把它往上一推，啵的一聲，離開了嬰兒瓷枕。

劉燐知道康和的精氣順利被釋放了，他很激動，不過還是穩住心緒，拿出一張暗紅色圓形符紙。

「我來。」劉燐說。他手一揮，暗紅色符紙射出，飛向水珠，符紙像是小碟子一般，接住了水滴。他嘴裡唸著咒語，圓形符紙轉向飛回他身邊。

他一手抱著孩兒，一手接住符紙，嘴裡唸唸有詞，他的手一傾，符咒裡的膚色水滴落在嬰孩的眉心。

白色煙氣此時也來到嬰孩的上方，像一陣清風一樣，從頭到腳掃過，輕拂著孩子全身。然後白煙離開了嬰孩，在空中繞了一圈，直飛向牆上的畫中，只見畫裡的祝由師又恢復手中拿著符咒的樣子。

「多謝師父！」劉燐恭敬的說。

在大家的注目下，劉燐懷中的嬰孩開始有變化，從一個一歲大的嬰孩，快速的長成兩歲多的幼兒，他臉色紅潤，一雙大眼睛好奇的看著每個人。

「康和你長大了！」劉燐激動的抱緊孩兒。

康和咯咯笑著，掙扎著要下地。劉燐放他下來，康和邁著小腿，到處走來走去。

「好可愛喔。」儀萱說。

「跟在瓷枕裡兇巴巴的氣勢很不一樣。」宗元笑著說。

「多謝各位。」劉燐對著他們一揖，然後再轉向佘襄，「多謝師姐成全，也恭喜師姐身體安康。」

佘襄看著他，心裡閃過無數個念頭，從過去兩人一起拜師修習咒術，朝夕相處訂下婚約，到他背棄諾言離開，然後又回來找她，請她救康和，最後兩人你來我往的比試……回憶中有甜蜜，有期盼，有痛苦，有氣憤，有怨念，這些情緒緊緊抓住她，一直以來侵蝕她正常的意志。表面上是瓷枕讓自己成了醜陋的駝背樣子，但是真正讓自己內心變得醜陋的，是這些執念。

而當師父的力量跟她的力量結合，他們一起釋放康和被囚禁的精氣，她發現，自己內在某些東西也被釋放了。

那些綑綁住自己的執念被釋放了。

她感到一股無比的輕鬆氣息在體內流轉，她決定要好好守護這樣的感覺。余襄望著劉燐，在他眼裡看到自己，她對他說：「康和恢復了，你也安心了，你走吧！」

劉燐看了她一眼，似乎不敢相信她這麼輕易讓他走，劉燐愣了一下，說：「師姐多保重。我帶康和走了。」

余襄點點頭，沒有說話。

劉燐才抱起康和，凌兒就攔住了他，「等等，被你帶走的小孩們，還有我爹，你要先把他們放出來。」

「我來之前，已經命人將他們放走了。你爹被安排在城東的悅來客棧裡，放心，他沒事的。」劉燐說完，帶著康和離開了。

「師父，你還好嗎？」鄭馨過來扶著余襄的肩膀，輕聲的問。

「沒事了。」余襄說，「鄭馨，這次多虧了你，還有這些人幫忙瓷枕恢復原狀。」這是她表示感謝的方式。

余襄的氣色好了很多，身形挺直，雖然她的身形不高，但是看起來風姿綽約，體態優雅。

「你不用再受這瓷枕的控制，之後會越來會好的。」儀萱說。

「謝謝你們幫了師父。」鄭馨代替師父說出謝意。

「你對師父這麼有心，我們也樂意幫忙。」儀萱微笑說。

「是啊，冤家宜解不宜結，你們之間的恩怨化解的話，路上的小孩們不會跟著遭殃，古董也不會忽然不見，少了很多事呢！」宗元說。

「如果都沒事了，那我要去找我爹，各位先告辭了。」凌兒對著大家拱拱手。

「我們陪你去吧！」宗元說。

「你陪她去吧！我們先回小依家。」紫珊拍拍宗元的肩膀，對他眨眨眼。嘩廷、儀萱、亞靖嘴角上揚，很有默契的轉身離開。

宗元抓抓頭，臉頰有點紅，他看著朋友們離去的背影，轉頭跟凌兒說：

「走，一起去找你爹。」

8

「這個鄭馨就是之前那個不見的新娘子嗎？」凌兒問。兩人一猴朝著城東走去。

「是啊，鄭馨被她爹強迫訂下婚約，可是她不想嫁給吸毒的雷進山，所以……」宗元把鄭馨的故事說給她聽。

「原來是這樣啊！她師父殺了人還想嫁禍給她，想藉此控制她，她居然還願意回來幫忙。」凌兒帶著不可思議的語氣說。

「她也是受到祝由術的牽制不得已。」宗元說。

「是這樣沒錯，但是看她幫余襄的態度，也是挺真心的。」凌兒說。

「人家說，一日為師，終身為父，她應該也是一個懂得感恩回報的人吧！」宗元說。

凌兒秀麗的臉上帶著若有所思的神情。宗元忍不住問：「你在想什麼？」

「我爹爹以賣藝為生，可是他卻不准我賣藝……」凌兒把自己的狀況告訴宗元，「我喜歡自由自在，不受拘束，所以離開了爹爹，過上自己想要的生活，可是爹爹卻被人打傷抓走了。我在想，如果我在他身邊，他就不會遇到這些事，至少我可以保護他。」

「你不要自責，劉燐那些人做的壞事，你幹麼攬在自己身上？根本不關你的事啊，你總不能一輩子陪在你爹的身邊保護他吧。」宗元不以為然的說。

凌兒看著宗元問：「你覺得鄭馨這次回來會留在她師父的身邊嗎？還是會再度離開去洛陽過她的日子？」

宗元歪著頭，聳聳肩，「誰知道！」

他看凌兒的表情認真，意識到她在想什麼，「你是不是在想，應該回去你爹身邊當個乖小孩，可是又不想放棄現在的生活？」

凌兒輕點一下頭。

宗元繼續說：「每個人的選擇都不一樣，遇到的課題也不一樣，你不要去想別人做什麼決定啦，最重要的是你自己的想法，你想過什麼樣的生活？鄭馨的例子只是剛好適合她，不見得適合你。」

凌兒聽了他的話，沉思了好一會。

「想好了嗎？決定怎麼樣？」宗元好奇的問。

「我決定先找到爹爹再說。」凌兒說。

他們左轉右繞，找到悅來客棧，店老闆領著他們來到後院的一間房，凌兒敲敲門，開門的是一個中年男子，宗元認出來，就是帶著猴子賣藝的人。

「爹！」凌兒激動喊著，撲進他的懷裡。小猴興奮的跳到男子的身上，開心的爬上爬下。

「凌兒，我的閨女啊！你怎麼找來的？」周木炎撫著凌兒的背，兩眼溼潤。

「爹，你沒事吧？」凌兒揉揉眼睛，仔細打量著爹爹，一年多不見，爹爹看上去又瘦了一些，感覺有些滄桑，臉上還有傷痕，應該是跟劉燐手下爭執時留下的。

「我沒事，你呢？」周木炎看著女兒，「你又長高了，身體更精實了。」

「是啊，爹，」凌兒說，「喔，對了，這是我的朋友，宗元。」

「我記得你啊，你來看我賣藝，小空還學你抓癢。」周木炎說。

「呵呵，是我沒錯。」宗元不好意思的抓抓頭，看來很會認人是這對父女的共同專長。

「進來坐。」周木炎請他們進房。

父女兩人互相講起這一年多來發生的事。原來凌兒離開後，周木炎非常生氣，氣女兒不聽話，也氣女兒任性。但是一陣子之後，他慢慢想通了，知道是自己逼走凌兒，就決定去找她。

只是凌兒離開已經一段時間了，要打聽她的下落也不容易，他就這樣帶著小空，到處問人，終於來到汴京。

他打聽到女兒在城門外賣藝，卻不敢去認她，怕嚇到她又把她逼走。

這天，他跟小空在表演，圍觀的群眾特別多，人擠人，好不熱鬧，但他卻看到一個胖大漢鬼鬼祟祟的牽起一個孩子的手就要走開。他認人的能力很強，明明記得這孩子是跟著一個婦人來的。最近擄拐小孩的事特別多，所以他便出手阻止了大漢。

拐孩子的那幫人氣他壞事，所以回頭來挑釁，還把他跟小空帶走，幸好中途小空機靈逃跑，遇到凌兒，最後才讓凌兒找到他。

「爹，我在城外租了個小房子，你來跟我住好不好？」凌兒拉著周木炎的手柔聲說。

「你不氣我了？」周木炎吶吶的問。

「怎麼會，我還擔心爹不原諒我呢。」凌兒不好意思的說，「你跟小空搬來跟我住，我好照顧你。」

小空聽到牠的名字，睜大眼睛看著他們。

「好，我搬去跟你住，但是我不用你照顧，我還很硬朗，可以繼續表演賣藝。」周木炎豪氣的說，然後又補充，「不過我可不要跟你一起喔，你做你的，我表演我的，我可不要你壞了我的名號。」

「好啊，那你不能跟我爭地盤喔！」凌兒也不甘示弱的說。

「你不要仗著你年輕漂亮，我可是有小空這個壓箱寶，很多小孩可喜歡牠了。」周木炎戳戳女兒的額頭。兩人對望一眼，哈哈大笑。

宗元覺得這對父女很有意思，對他們說：「你們的表演都精采，兩邊我都會捧場的。」

「宗元出手大方，是我們賣藝的人最喜歡的客人了。」凌兒笑咪咪的說。

三人說笑一陣，宗元起身道別，「凌兒，你快帶你爹回家，我也要回小依家了。」

「好，幫我跟你其他朋友們道謝，也讓他們知道我找到爹了。」凌兒說。

「沒問題。」宗元說。

9

五人聚集在小依的房間，他們已經換下小依借他們的衣服，換回原本的衣服。

「我們要回去了，小依，謝謝你借我們衣服，還收留我們。」紫珊說。

「對啊，真謝謝你。」其他人也依依不捨的說。

「不要這麼客氣啦，」小依不好意思的說，「你們來，讓我有伴聊天，而且你們還幫我找到我的朋友，我才要謝謝你們呢。」

「鄭馨有沒有說她要留在汴京還是去洛陽？」儀萱好奇的問。

「她說會先留下來一陣子，幫她師父處理一些事情，也把祝由術學得更精進，然後她會去洛陽用祝由術幫人。」小依說。

「她跟凌兒一樣，都是有自己想法的人。」曄廷說。

「是啊，所以我好崇拜小姐，她願意跟我做朋友是我修來的福分。」小依說。

「你也不要太小看自己，你有你的優點，我們也喜歡你啊。」宗元真誠的說。

「謝謝你們。」小依圓圓的臉上滿是笑意。

「我們要走了。」曄廷說。

「你多保重。」紫珊走上前，拉拉她的手。

「謝謝你的衣服。」亞靖說。

「你們要常來喔。」小依說。

「好。」五人異口同聲。

＊＊＊

他們回到〈清明上河圖〉前時，覺得恍如隔世。展覽廳一如以往，安安靜靜，幽幽暗暗，眼前的古畫顯得神祕美麗。

儀萱的巫術果然如她的保證，讓大家只消失五分鐘，但是在畫裡這段時間的經歷卻實實在在刻印在腦海中。

「我們回來了。」儀萱說，口氣有點興奮又有點失落，像是放完一段長假，從國外旅遊回家的心情。

「〈清明上河圖〉實在太酷了！」宗元說。大家都點頭贊同。

「對啊，想不到裡面發生這麼多事。」儀萱說。

五人看著圖畫，心裡感慨很多。

「我猜想，五位畫家畫出汴京的生活街景時，把祝由科畫進去，結果祝由術的力量也被畫進去了。」曄廷推測。

「兩位祝由師相鬥，鬧出不少事情，還好我們都一一解決了。」紫珊說。

「我覺得我們很厲害，都不用出動到畫仙。」宗元語氣帶著得意。

「說實在，他們兩個人的話，誰真誰假，真讓人糊塗。」儀萱說。

「人在講話時，都會挑對自己有利的角度，劉燐跟我們說是他帶余襄從地道出來，講得好像是他救了她，是個大好人，後來發現其實是鄭馨進去救他們的。」紫珊說，「這讓我想到很多人在網路上互相罵來罵去，各持己見，攻擊別人，類似的事情不論古今中外，永遠不會停止。旁觀的人最好不要盲目加入謾罵，或是選邊站，只會讓事情更模糊複雜。」

「真的！尤其感情的事，是最難講清楚的。」儀萱附議。

「對啊，他們講的話聽聽就好，每個人看待事情的角度都不一樣。」宗元說。

「我們該離開了。」曄廷說。

「好。」儀萱說。

五人離開書畫區，一邊走一邊聊著〈清明上河圖〉裡的經歷。

「我們好像走錯了，又回到青銅器區。」宗元左右看了看。

大家正要回頭，亞靖一聲驚呼。

「曾姬壺！」

大家跟著他來到展廳的另一頭，古董店遺失的曾姬壺果然在玻璃櫃子裡。

「我親手摸過。」亞靖眼神著迷的看著它們。

「兩尊壺擺在一起耶！」儀萱驚嘆的說。

「不是說放在一起會有厄運？」宗元問。

「我碰到壺時，可以感覺到上面的力量。其實每個古物都有它們的力量，對人類來說，如果那力量不是我們要的，就會被稱為『不祥』或『厄運』，其實就是它們原本的力量而已。」亞靖說。

紫珊點點頭，「你這樣說也有道理，而且，那些古物在製作時，有時候人們會在上面刻神獸，或是請巫師道士施法祈福，加上經歷那麼多朝代，在不同的人的手上流轉，都會增添不少的故事。」

「那我們也去找找看其他畫裡出現的古物是不是也在故宮。」儀萱興奮的說。

他們來到玉器展示區，紫珊一下就看到玉琮。

「這個就是在皇后娘娘船上看到的玉琮。」紫珊說。

「哇！原來玉琮長這樣！瘦瘦高高的。」宗元說。去拿玉琮力量的那個晚上只有紫珊看到玉琮，其他人只有看到影像。

「這裡有各種大大小小、不同尺寸的玉琮呢！有的看起來好像手環。」儀萱說。

「如果要你買一隻玉手環給儀萱，你會買哪一個？」紫珊問了曄廷一個假設性的問題。

「我去夜市買還比較多選擇。」曄廷說。

儀萱瞪了他一眼。

「兄弟，你這樣不行，」宗元把手刻意的搭在曄廷的肩膀上，「你要說：『你想要哪個，我都會拿上面的力量給你。』」

「拿玉的力量我不行，要請紫珊幫忙啦。」曄廷笑著說。

「怎麼我躺著也中槍？」紫珊斜眼看他。

「你這樣推三阻四的才不行咧。」儀萱戳了曄廷一下。

四人笑鬧一陣。

「那個玉琮的力量在你身上，」亞靖看著紫珊，「你打算怎麼辦？」

紫珊想了一下，「故宮這麼多玉，每個都有它的力量，我不會特地去拿取，不過拿到這個玉琮的力量也算是特別的機緣，我就暫時留下好了，當作一個紀念。」

他們四處走走，來到珍玩區。

「鄭馨出嫁時拿的那個多寶格。」宗元找到了多寶格。

「我們當時仔仔細細看了好多次。」紫珊說。

「我還在雷家找到小瓷瓶。」儀萱說。

「真的是很精巧的設計。」曄廷讚嘆著。

「我也好想要一個喔！」儀萱目不轉睛的看著多寶格說。

其他人都轉頭看向曄廷，竊笑起來。

曄廷搔搔頭，拉著儀萱，「走，我們去找瓷枕。」

他們來到北宋定窯的特展，一走進展間，就看到展示櫃上排列各式各樣的瓷器，每個都帶著溫潤的白色光芒，整個房間呈現一種純淨優雅的樸實感。

在「定窯白瓷劃花鋪首龍耳方壺」跟「定窯瓜式提樑壺」之間的就是白瓷嬰兒枕。

嬰兒臉上有他們熟悉的可愛笑容，不過大家也難免想起他尖聲高叫，全身發紅的恐怖模樣。

「古代人真的睡在這麼硬的東西上面嗎？還是這只是用來裝飾的。」儀萱忍不住摸摸後腦勺，彷彿已經感到痠痛。

「我有讀過，古代人會拿器物讓頭倚靠，這些器物的材質有玉、有骨頭、有木頭，瓷器也是其中一種，到明清的時候才有刺繡軟枕，而近代之後就沒有人睡這種瓷枕了。」曄廷說。

「文學作品裡也提到瓷枕，唐代魏承班的〈訴衷情〉這首詩中有一句『山枕印紅腮』，講的是這些瓷器的枕頭上面有刻紋，美女側著臉躺在枕頭上睡覺，醒來後臉上還帶著壓到的紋路。」宗元引經據典的說。

「早上醒來，紅紅的臉上有漂亮紋路的睡痕，聽起來好浪漫喔！」儀萱輕撫著臉。

「有一次我回家窩在客廳地上打電動，打到太累睡著，醒來後發現我脫下的布鞋亂丟，被我迷糊中拿來當枕頭，結果臉上有個大大的勾勾紋路，脖子還痠痛兩天。相信我，一點也不浪漫。」宗元垮著臉說，大家都笑了。

「想不到故宮的古物這麼多，背後都有許多的典故。」紫珊說。

「還有特別的力量。」亞靖補充。

「這是真的，」儀萱說，「我們可以遇到其中幾個，真是太酷了！」

「〈清明上河圖〉裡的人也都好有趣，像是小依、阿貴、吳老闆、鄭馨、凌兒。」紫珊說。

其他四人都同意的點點頭。古物的價值，不只是本身的年代跟歷史意義，還有伴隨古物身邊的人物所帶來的故事。

「我們一定要再回去看他們。」儀萱說。

「一定會的。」曄廷肯定的說。

五個人的臉上帶著默契的微笑，開心的踏上歸途。

古物的身世——

北宋　定窯　白瓷嬰兒枕

文／國立故宮博物院研究人員　黃蘭茵

一件嬰兒形狀的瓷枕

北宋定窯白瓷嬰兒枕，一直以來都是陶瓷器陳列室中非常受歡迎的明星作品。這件白瓷枕設計很有巧思，它的外型是一個趴在臥榻之上的小男孩，嬰孩側臉面向觀眾，小臉略微上揚，雙眼圓睜面露好奇之色。他的天庭飽滿，鼻梁挺直，口齒微張，雙耳肥潤，洋溢著天真爛漫的神情。小男孩的雙臂交疊抱攏墊於頭部右側之下，右手拿著一個瓔珞繡球，繡球前後綁有繩結，其上滿布花紋，精巧可愛。如果我們從另一側觀察，可以看到小男孩的兩隻小腿向後翹起，彎曲交疊，呈現出悠閒的氣息。這樣伏臥的姿勢使得男孩的後背自然形成一個平緩圓弧的曲線，正好形成讓人躺臥的枕面，設計極具巧思。

嬰兒枕是在哪裡製作的？

從這件白瓷嬰兒枕的胎土及釉色特徵判斷，可以知道是定窯的作品。定窯是宋代北方地區著名的窯場，窯址的中心區域在現在中國河北曲陽縣，因為當地古名定州，所以稱之為「定窯」。

北宋　定窯　白瓷嬰兒枕

定窯燒製的作品以白瓷為主，釉質細潤光滑，釉色白中帶微黃及灰，裝飾技法有淺劃、深刻、印花等。製品除了最常見的碗、盤、碟，也生產瓷枕等生活用具。這件嬰兒枕的釉色牙白溫潤，器身運用定窯高超的成形和裝飾技術，神形兼備，俏皮可愛中顯露富貴氣息，充分展現定窯白瓷的優點。

讓人嘆為觀止的裝飾

各位讀者如果有機會親臨故宮的陶瓷陳列室，請一定要好好用您的雙眼欣賞嬰兒枕上裝飾紋樣及技法。小男孩的身上穿著長衫長褲，外罩錦緞背心，長袍下裳印有圓形朵花，背心前襟印上球形錦紋。另外，在後背的地方刻劃

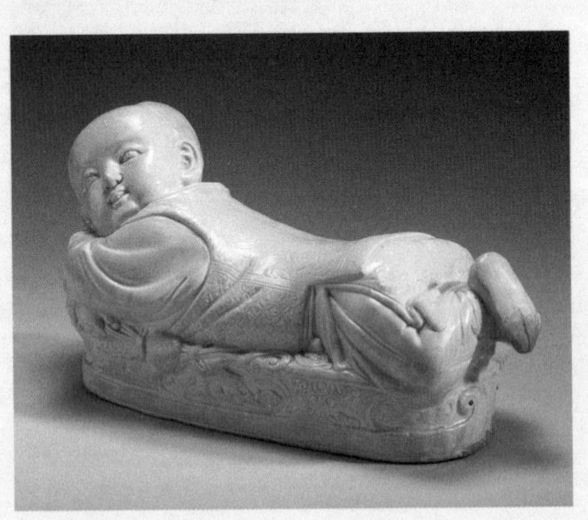

北宋　定窯　白瓷嬰兒枕

有纏枝牡丹，衣袖長褲則平素沒有紋飾。他所躺臥的榻子帶有壼門底座，其上裝飾有螭龍紋和雲紋。仔細觀察，可以發現整件作品充分發揮定窯不同的裝飾技巧：長衣下襬的圓形朵花、背心前襟上的球形紋，以及榻座上雲螭紋是以模印而成，後背的纏枝牡丹則以斜刀刻劃裝飾，印花層次分明，刻花線條流暢，二者搭配渾然天成。

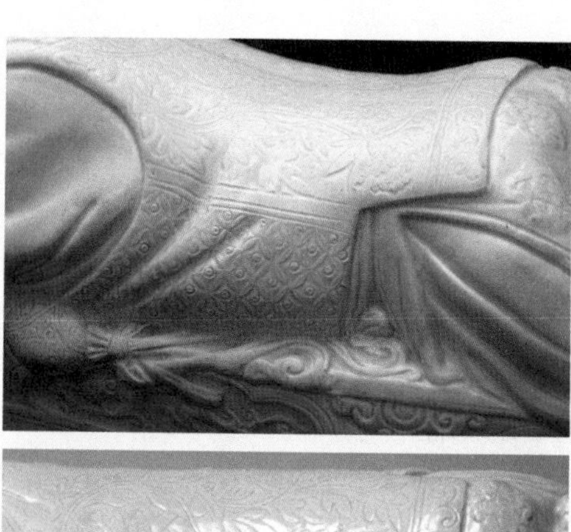

北宋　定窯　白瓷嬰兒枕特寫

為什麼器底會刻字？

這件嬰兒枕曾是清代乾隆皇帝的收藏品，也是同類型作品中唯一在器物本身帶有御製詩文題刻的作品。翻到嬰兒枕的底部，可以發現器底露出胎體，沒有上釉，並且刻有清朝乾隆皇帝的題詩一首：「北宋出精陶，曲肱代枕高，錦繃圍處妥，繡榻臥還牢。彼此同一夢，蝶莊且自豪，警眠常送響，底用擲籤勞。」詩末刻有乾隆癸巳（乾隆三十八年，1773）閏三月鑑賞。從這首詩中我們可以看出，乾隆皇帝在他的觀後心得中，不僅鑑別嬰兒枕的生產時代、賞析特色、說明功能，最後二句，還帶著帝王對自我深切的期許。可能因為嬰兒枕搖晃時，器內有泥丸會輕擊內壁叮叮作響，乾隆皇帝在最後二句用了五代十國時，吳越國武肅王錢鏐在軍伍中，用圓木作枕，一熟睡圓木就會滾動歪斜讓人警醒，以及魏晉南北朝時陳武帝曾於夜晚睡覺之時命人投銅籤於階石之上，發出聲響提醒自己不要熟睡的二個典故，將娃娃枕比擬為如前代君主使用的警枕，期勉自己珍惜光陰，勤於政務。

這首詩作同時也被收入《御製詩集》四集卷十三，題名為〈詠定窯睡孩兒枕〉。根據學者的研究，精力旺盛的乾隆皇帝一生共有四萬多首詩文存世，在這些包羅萬象的作品中，有近兩百首的歌詠對象是歷代陶瓷器，其中關於陶瓷枕的有二十一首。進一步分析可以發現，在這二十一首詠瓷枕詩中，有十三首歌詠的對象是定窯瓷枕，而其中的十一首描述的對象都是定窯嬰兒枕。尤其在乾隆三十七年到乾隆四十一年的五年之間，更密集寫了十首詩來吟詠定窯嬰兒枕。

為什麼乾隆皇帝在這幾年之內突然詩興大發，接連為定窯嬰兒枕寫下心得？最顯而易見的理由可以歸因於在乾隆三十六年到乾隆四十一年間，經由自己的收集和臣子的進獻，乾隆皇帝在短期之內獲得了十一件定瓷娃娃枕。這些稱為「定瓷娃娃涼枕」、「土定娃娃」、「定瓷娃娃」的嬌客入宮之後，乾隆皇帝對其十分寶

北宋　定窯　白瓷嬰兒枕器底御製詩

愛，不但命人為其配木座、置錦墊，有的還為其題刻詩文。刻字或刻詩，不是每件娃枕都享有的待遇，由《造辦處檔案》的紀錄我們可以知道，在這十一件記錄有案的嬰兒枕當中，有五件曾於御覽之後，送至茂勤殿刻字或刻詩，其中就包括了直接將御製詩文刻於器底的本件作品。

嬰兒枕的重要性

依公開發表的資料，類似的嬰兒枕全世界目前所知僅有三件，其中一件就是這件經常出現在展覽中的大明星。院內還藏有另一件定窯型嬰兒枕。這件嬰兒枕同樣是方頭大耳的嬰孩形狀，男孩身穿華服，手執繡球，橫臥錦榻之上。不同的是，定窯型嬰兒枕的尺寸比較小、胎質看起來也較為疏鬆，釉面開裂多，釉色也偏黃。同時，器身的裝飾技法以模印為主，只在座上搭配簡單刻畫。衣著上印有纏枝和折枝花卉紋，側身而臥的壺門底座上也僅以雲紋，而不以螭龍紋為飾，整體裝飾較為規整簡單，但是瓷枕呈現出的童稚純真氣息不滅。

而傳世另一件造型相同的嬰兒枕收藏於北京故宮。北京故宮的白瓷嬰兒枕釉色瑩白，裝飾精巧，不同的是男孩外罩的錦緞背心前襟並無球形錦紋，後背也沒有刻劃纏枝牡丹，呈現出平素無紋的釉面，整體以溫潤素淨見長。本書故事中余襄爹爹留給她的嬰兒枕，裝飾精巧，同時在器底帶有御製詩題刻，流傳有序，將其視為國之瑰寶可說實至名歸。

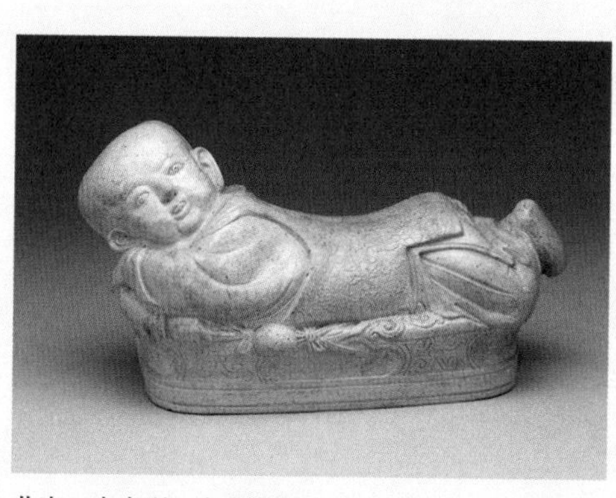

北宋　定窯型　白瓷嬰兒枕

同樣是白瓷，不一樣的白

在欣賞定窯白瓷的同時，也推薦讀者們可以同時比較不同時期的白瓷器。舉例來說，明代永樂時期（1403-1424）也以製作白瓷器著名於世。永樂時期的白釉瓷器胎質細白、釉質溫潤、釉光柔和，一眼看去立刻就會被其純淨潔白吸引，也有「甜白」之稱。經過學者的測試發現，這種潔淨柔和的釉色特徵，與釉中的石英顆粒與雲母含量較多有關，因此視覺上呈現出與前代釉色偏牙白的定窯瓷器，或是泛著淡淡青色的青白瓷截然不同的溫潤光芒。

而「甜白」一詞是明代晚期文人對永樂白瓷的美稱，根據學者推測，因為明代嘉靖時期白砂糖剛被發明出來，所以用色白如霜雪的白糖之甜，來比喻溫潤潔白的永樂白釉瓷器，故稱其為「甜白」。

明　永樂　甜白釉五龍紋高足碗

永樂時期曾經燒造大量的白瓷器。根據一九八九年江西景德鎮珠山明代御窯廠遺址的發掘報告，永樂前期地層中的甜白釉瓷器占所有出土物的百分之九十八以上。學者們也因此推測，永樂皇帝大量燒製白釉瓷器帶有宗教意涵，展現了對父母的追思。另外，也有可能和他登基前作為燕王，居於北平，所以深受元人尚白的風氣有關。

除了潔白柔和的釉色有其特色，永樂時期的白釉瓷器還經常使用暗花裝飾。這些花紋覆蓋在甜白釉色之下，肉眼幾乎難以看出端倪，需得在燈光照耀之下，才能略窺紋飾面貌，十分引人入勝。對照《明太宗實錄》永樂四年十月丁未條的記載：「回回結牙思進玉椀，上不受，命禮部賜鈔遣歸。謂尚書鄭賜曰：『朕朝夕所用中國瓷器，潔素瑩然，甚適於心，不必此也。』」由此可見永樂皇帝對於當朝白瓷器的慣用和喜愛。

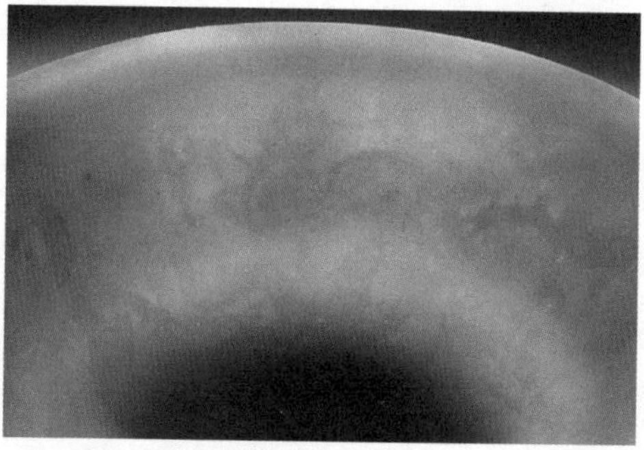

明　永樂　甜白釉五龍紋高足碗　暗花龍紋裝飾

少年天下 —— 092

仙靈傳奇之古物奇探：祝由師（下）

作　　者｜陳郁如

責任編輯｜李幼婷
封面圖像｜深度設計 ・ 陳青琳
封面設計｜陳珮甄
內頁設計｜林子晴
校對協力｜魏秋綢
行銷企劃｜葉怡伶、林思妤、翁郁涵

天下雜誌群創辦人｜殷允芃
董事長兼執行長｜何琦瑜
媒體暨產品事業群
總經理｜游玉雪
副總經理｜林彥傑
總編輯｜林欣靜
行銷總監｜林育菁
副總監｜李幼婷
版權主任｜何晨瑋、黃微真

出版者｜親子天下股份有限公司
地址｜台北市 104 建國北路一段 96 號 4 樓
電話｜（02）2509-2800 傳真｜（02）2509-2462
網址｜ www.parenting.com.tw
讀者服務專線｜（02）2662-0332 週一～週五：09:00~17:30
傳真｜（02）2662-6048 客服信箱｜ parenting@cw.com.tw
法律顧問｜台英國際商務法律事務所・羅明通律師
製版印刷｜中原造像股份有限公司
總經銷｜大和圖書有限公司 電話：（02）8990-2588

出版日期｜ 2024 年 4 月第一版第一次印行
定　　價｜ 380 元
書　　號｜ BKKNF085P
I S B N ｜ 978-626-305-695-4（平裝）

國家圖書館出版品預行編目資料

仙靈傳奇之古物奇探 : 祝由師/陳郁如文. -- 第一版. -- 臺北市 : 親子天下股份有限公司, 2024.04
232 面 ; 14.8x21公分. -- (少年天下 ; 92)
ISBN 978-626-305-695-4 (下冊 : 平裝). --

863.59　　113000588